Jesus: ontem, hoje e sempre

Jesus: ontem, hoje e sempre

N. T. WRIGHT

Traduzido por Susana Klassen

Copyright © 2000, 2015 por N. T. Wright
Publicado originalmente por The Society for Promoting Christian Knowledge, Londres, Inglaterra.

Os textos das referências bíblicas foram extraídos da *Nova Versão Transformadora* (NVT), da Tyndale House Foundation, salvo a seguinte indicação: *Nova Versão Internacional* (NVI), da Bíblica, Inc.

Todos os direitos reservados e protegidos pela Lei 9.610, de 19/02/1998.

É expressamente proibida a reprodução total ou parcial deste livro, por quaisquer meios (eletrônicos, mecânicos, fotográficos, gravação e outros), sem prévia autorização, por escrito, da editora.

CIP-Brasil. Catalogação na publicação
Sindicato Nacional dos Editores de Livros, RJ

W934j

Wright, N. T.
Jesus: ontem, hoje e sempre / N. T. Wright ; tradução Susana Klassen. - 1. ed. - São Paulo : Mundo Cristão, 2022.
192 p.; 23cm.

Tradução de: The challenge of Jesus: rediscovering who Jesus was and is.
ISBN 978-65-5988-157-4

1. Cristianismo - Jesus. 2. Ensinamentos - Bíblia. 3. Palavra de Deus (Teologia cristã). I. Klassen, Susana. II. Título.

22-79210   CDD: 220.13
                CDU: 27-14

Gabriela Faray Ferreira Lopes - Bibliotecária - CRB-7/6643

Categoria: Teologia
1ª edição: outubro de 2022

Edição
Daniel Faria

Revisão
Natália Custódio

Produção
Felipe Marques

Diagramação
Marina Timm

Colaboração
Ana Luiza Ferreira

Capa
Jonatas Belan

Publicado no Brasil com todos os direitos reservados por:
Editora Mundo Cristão
Rua Antônio Carlos Tacconi, 69
São Paulo, SP, Brasil
CEP 04810-020
Telefone: (11) 2127-4147
www.mundocristao.com.br

Para Simon Kingston,
editor e amigo

Sumário

Prefácio à segunda edição   9

Prefácio à primeira edição   15

  1. O desafio de estudar Jesus   17

  2. O desafio do reino   36

  3. O desafio dos símbolos   55

  4. O Messias crucificado   74

  5. Jesus e Deus   94

  6. O desafio da Páscoa   121

  7. Caminhando para Emaús em um mundo pós-moderno   143

  8. A luz do mundo   166

Notas   188

Prefácio à segunda edição

Jesus continua a desafiar todos nós de diversas maneiras. Quando escrevi as primeiras preleções nas quais este livro se baseou, com certa pressa para o congresso em janeiro de 1999, não fazia ideia das reviravoltas que ocorreriam no mundo acadêmico, no mundo cristão em geral e no mundo mais amplo do perigoso século 21 que estava prestes a começar. Permita-me comentar algo a respeito de cada um deles. Permaneço convicto de que o retrato que esbocei de Jesus e do desafio que ele apresenta para seus seguidores no mundo de hoje é histórica, teológica e praticamente coerente. Ainda assim, tivemos novos acontecimentos.

No meio acadêmico, as coisas não ficaram estacionadas. Embora hoje eu trabalhe em outras áreas, na vida da igreja e no estudo do apóstolo Paulo, três áreas de discussão em andamento chamaram minha atenção.

A primeira se refere ao templo. Quando comecei a pesquisar, poucas pessoas na academia ou no âmbito popular falavam sobre a relação entre Jesus e o templo. Geza Vermes, em sua conhecida obra *Jesus, o judeu*, não considerou que a ação de Jesus no templo fosse digna de muita atenção. Ed Sanders mudou esse conceito em sua obra *Jesus and Judaism* [Jesus e o judaísmo], tornando fundamental o mesmo incidente; mas, ao que parece, nem o próprio Sanders percebe o quanto as asserções que Jesus fez foram verdadeiramente extraordinárias. Afinal, o templo era, supostamente, o lugar em que céu e terra se encontravam e realizavam suas transações. Para muitos cristãos modernos, o templo se figura apenas como uma estrutura magnífica, semelhante a uma igreja: um lugar de adoração, mas não o microcosmo, o "pequeno mundo" em que céu e terra estavam contidos em ínfimo espaço. Uma vez que essa é a linguagem que os cristãos costumam usar para a encarnação, talvez devamos prestar mais atenção em como Jesus interagiu com o templo, e em sua afirmação implícita, ao falar de si próprio, de que o superaria, ou mesmo o substituiria. Claro que os cristãos primitivos continuaram a se reunir no templo de Jerusalém e prestar culto ali. Não foi, por assim dizer, uma troca direta. Na época de Paulo, contudo, os cristãos já enxergavam seu novo movimento (semelhante a Qumran, que os antecedeu) como um novo templo em algum sentido.

O segundo tema que continuo a explorar é associado de modo próximo ao primeiro. Em *Jesus and the Victory of God* [Jesus e a vitória de Deus] e depois sucintamente no presente livro, propus que uma forma de compreender o entendimento que Jesus tinha de si mesmo era a crença judaica de que YHWH, o Deus de Israel, havia prometido, de longa data, voltar em presença gloriosa a Jerusalém e ao templo. Em nenhum lugar na literatura do segundo templo encontramos alguém que afirme que isso havia ocorrido. No entanto, os Evangelhos estruturam sua narrativa de Jesus exatamente dessa forma. Marcos começa com citações de Malaquias e Isaías que tratam explicitamente da preparação para a volta de YHWH. O prólogo de João chega ao ápice com um versículo que repercute a vinda da glória divina ao tabernáculo em Êxodo 40, ao templo de Salomão em 1Reis 8 e ao novo templo profetizado em Ezequiel 43. Quanto mais estudo esse tema, mais o considero fundamental para a maior parte da (senão toda a) cristologia do Novo Testamento. E creio que foi fundamental para o entendimento de Jesus de si mesmo.

Cabem aqui duas observações. Em primeiro lugar, ainda deparamos com o velho comentário depreciativo de que "Jesus falava de Deus, mas a igreja falava de Jesus", como se, de algum modo, isso significasse que Jesus teria ficado horrorizado de ouvir as coisas estranhas que seus seguidores diriam a seu respeito mais adiante. No entanto, essa é uma ideia equivocada. Jesus falava com frequência a respeito de Deus, a respeito do Pai, a respeito do reino de Deus, *justamente para explicar suas ações e o motivo delas*. Ele acreditava, verdadeiramente, que estava dando início ao tão esperado "reino de Deus" na terra como no céu. E ele acreditava, verdadeiramente, que lhe custaria a vida.

Segundo, porém, essa observação não me faz cair na ideia oposta com a qual também ainda deparamos de que Jesus simplesmente andava por aí "consciente de que era divino". Se existe perigo de uma perspectiva ebionita moderna, de que Jesus foi apenas um ser humano muitíssimo bom, também existe perigo de um docetismo moderno, em que Jesus era tão "divino" que apenas *parecia* humano, embora não o fosse de fato. Evidentemente, temos de ser cautelosos ao tratar dessa questão. Creio, e proponho neste livro, que Jesus agiu e falou como o fez porque de fato acreditava que era sua vocação corporificar a chegada do tão aguardado Deus de Israel, que traz cura, salvação, julgamento, vida e sabedoria. O que desejo explorar é o *tipo de conhecimento* que ele parecia ter. As cenas no Getsêmani e na cruz — sem falar da tentação depois do batismo e de sua perigosa repetição por Pedro em Cesareia de Filipe — mostram que a consciência de Jesus de sua vocação era exatamente isso: consciência pela fé, suscetível a provação, desafio e até mesmo dúvida. Isso não significa que não fosse real, ou que não fosse verdadeira.

Talvez eu deva dizer que tenho um conceito elevado da consciência, pela fé, da vocação. Tive o privilégio de trabalhar com várias pessoas que tiveram dificuldade com o chamado de Deus em sua vida. Muitas vezes, dizem: "*Creio* que Deus me chamou". Cabe à igreja, então, receber seu ministério, declarar que o povo de Deus reconhece e *tem consciência* da veracidade dessa vocação. Claro que essa é apenas uma analogia parcial, mas espero que seja útil. A presente discussão deve, no mínimo, nos lembrar de que, de acordo com o próprio Novo Testamento, só sabemos com absoluta clareza quem "Deus" é quando olhamos para Jesus. Em muitas ocasiões, a igreja pressupôs que soubesse exatamente quem Deus é (talvez a divindade exaltada e indiferente do deísmo?) e, então, projetou sobre Jesus uma ideia de como "deus" seria caso se tornasse encarnado. De acordo com o Novo Testamento, descobrimos Deus ao olhar para Jesus, e não vice-versa.

Um dos problemas do conceito "tradicional" ou "ortodoxo" (segundo o qual o mais importante a respeito de Jesus era sua consciência de sua divindade e seu desejo de comunicar e revelar esse fato a outros) consiste, como vim a perceber, na facilidade com que pode obscurecer aquilo que esse Deus-de-Israel encarnado tinha vindo *fazer*. É possível olharmos para Jesus e dizer: "Sim, ele é divino" e imaginar que essas palavras nos fazem "parecer" cristãos, de prontidão e na expectativa de "ir para o céu". Contudo, a questão central da "divindade de Jesus" na verdade é que Jesus estava *dando início ao reino de Deus na terra como no céu*. Vim a entender o seguinte: a "divindade" de Jesus é a escala em que a música é escrita, mas não é a melodia tocada. A melodia é "o reino de Deus".

Essa ideia também foi abordada por dois ângulos, o que me leva ao terceiro ponto a respeito dos meios acadêmicos. Em que sentido o "reino veio" na carreira pública de Jesus e, depois, de modo supremo, por meio de sua crucificação e ressurreição? Muitos levantaram objeções a minha exposição do reino nos ensinamentos de Jesus, insistindo que ele verdadeiramente esperava que o mundo acabasse, ou algo do gênero, em poucos anos. Pronunciei-me repetidamente contra essa ideia, com base na maneira que a linguagem "apocalíptica" opera tanto no mundo judaico quanto nos escritos do cristianismo primitivo. Entra em cena a divisão: de acordo com alguns, Jesus prometeu o fim do mundo e se equivocou; de acordo com outros, Jesus disse que o reino viria em breve, mas estava se referindo à Transfiguração, ou a algo semelhante. Estes últimos afirmam, ainda, que o reino só virá de modo devido e pleno quando Jesus voltar. A meu ver, essa proposta parece desconsiderar aquilo que os quatro Evangelistas dizem, cada um à sua maneira, a saber, que a crucificação foi, na realidade, a entronização de Jesus como "Rei dos judeus" e que, quando o Jesus ressurreto declara em Mateus: "toda a autoridade [...] no céu *e na terra*", essa verdade se aplica ao entendimento do reino por toda a igreja primitiva e pelo próprio Jesus. Sem dúvida, essa discussão prosseguirá.

Contudo, foi esse tema do reino de Deus que exerceu efeito surpreendente (a meu ver) no nível menos acadêmico da vida da igreja. Naturalmente, é motivo de grande prazer ver que muitos líderes e professores de tradições diferentes da minha têm usado meu trabalho. Fui convidado para falar em igrejas do movimento Vineyard, em igrejas "emergentes", em diversos encontros pós-modernos de cristãos que não têm outro rótulo além da insatisfação com o que encontraram nas igrejas de sua infância. Expressei, com frequência, divertida surpresa: como é possível essas pessoas se reunirem em torno de um bispo anglicano de meia-idade? A resposta parece ser que o ensino de Jesus a respeito do reino de Deus, que apresentei em *Jesus and the Victory of God* e também no presente livro, tem sido, para muitos, como água fresca em um dia quente. É aquilo pelo que esperavam, mas não sabiam. Repetidamente, ouço: "Minha igreja nunca ensinou esse tema, nem pregou sobre ele, mas é a coisa mais relevante que já ouvi". O reino é um livro fechado para muitos, e eu, de forma inteiramente acidental, por assim dizer, pareço tê-lo aberto um pouquinho.

Diante disso, duas perguntas vêm à mente de imediato: o que o reino significava na igreja primitiva e o que significa em nossos dias. Quanto à igreja primitiva, um teste decisivo consiste em considerar o que Jesus quis dizer quando respondeu à pergunta dos discípulos em Atos 1.6: "Senhor, será esse o momento em que restaurará o reino a Israel?". Na opinião de muitos cristãos, a resposta de Jesus ("Não compete a vocês saber o tempo ou as datas [...] mas receberão poder quando o Espírito Santo descer sobre vocês, e serão minhas testemunhas", v. 7, NVI) é, basicamente: "Não, mas..." Não, o reino ainda não virá, mas, entrementes, vocês têm um trabalho a fazer. A meu ver, porém, a resposta é: "Sim, mas..." Sim, o reino já se iniciou, mas o trabalho que vocês têm a fazer não é de nobres cortesãos assentados à minha direita e à minha esquerda, organizando o reino no sentido habitual. O trabalho que vocês têm a fazer, no poder do Espírito, é de sair e dar testemunho. Como as Bem-aventuranças do Sermão do Monte deixam claro, quando Deus deseja colocar o mundo em ordem ele não envia tanques de guerra. Ele envia os mansos, os quebrantados, os que têm fome de justiça, os pacificadores, os de coração puro, e assim por diante. Leia Atos e veja essa verdade em ação. Tenho convicção de que era isso que Jesus tinha em mente desde o começo. Ele acreditava que estivesse dando início ao reino de Deus na terra, mas, assim como ele redefiniu radicalmente a forma que a batalha decisiva seria vencida (a cruz), também redefiniu radicalmente a forma que essa vitória seria implementada (na vocação para o serviço). É disso que trata Marcos 10.35-45. A igreja costuma interpretar essa mensagem equivocadamente; procura apenas a "expiação" ("o Filho do Homem veio para dar a vida em resgate por muitos") e não enxerga a redefinição de poder dentro da qual essa declaração fundamental se encontra ("os governantes da presente era fazem as coisas de uma forma; nós, porém, a faremos de outra"). Hoje, vejo esse fato mais claramente que quinze anos atrás. Talvez a experiência, ainda que superficial, com os círculos de poder da sociedade inglesa tenha me alertado, mais do que percebi na época, para a redefinição de poder conforme o evangelho.

E talvez isso explique minha perspectiva atual do novo século em que vivemos. Ninguém imaginou, em janeiro de 1999, o que aconteceria menos de três anos depois, quando aviões colidiram com prédios e o mundo mudou para sempre. O mundo ocidental e a igreja ocidental se mostraram vergonhosamente despreparados não apenas para os atos terríveis e perversos de 11 de setembro de 2001, mas também para os desafios de cosmovisão que esses acontecimentos trouxeram consigo. Por muito tempo, o cristianismo ocidental havia acreditado, pelo menos implicitamente, que religião e política eram coisas tão separadas que ninguém precisava se dar o trabalho de pensar como poderiam interagir uma com a outra. A reação à atrocidade foi, portanto, previsível: combater fogo com fogo. O resultado dessa abordagem, por sua vez, também foi previsível: há muito mais inquietação no Oriente Médio e há um número muito maior de terroristas hoje do que quinze anos atrás.

Nesse sombrio e estranho mundo novo, precisamos urgentemente de uma nova luz. Jesus de Nazaré trouxe essa luz muito tempo atrás. O mundo e a igreja a consideraram resplandecente demais, e não temos poupado esforços para encobri-la ao falar incessantemente sobre espiritualidade pessoal no presente e salvação "celestial" no futuro. Mas, quando Jesus nos ensinou a pedir em oração que o reino de Deus viesse e a vontade de Deus fosse feita assim na terra como no céu, ele estava falando sério. Quando ele disse que toda a autoridade lhe foi dada *na terra* como no céu, também estava falando sério. Mal começamos a imaginar o que isso significa na prática. É minha esperança e minha oração, porém, que este pequeno livro seja, pelo menos para alguns, uma introdução para aquilo que Jesus quis dizer naquela ocasião e, portanto, que seja um convite para refletir a respeito do que ele quer dizer hoje e amanhã, ao continuar a nos chamar para ser suas testemunhas até os confins da terra.

N. T. Wright
Faculdade de Teologia de St. Mary,
Universidade de St. Andrews, Escócia, 2015

Prefácio à primeira edição

Na presente obra, tenho três assuntos de interesse. O primeiro é a integridade histórica ao falar sobre Jesus. Para dizer a verdade, muitos cristãos se mostraram desleixados ao refletir e falar sobre Jesus e, portanto, infelizmente, ao orar e praticar o discipulado. Não podemos partir do pressuposto de que, ao dizer a palavra "Jesus" e, muito menos, a palavra "Cristo", estamos automaticamente em contato com o verdadeiro Jesus que andou e falou na Palestina do primeiro século, o Jesus que, de acordo com a Carta aos Hebreus, é o mesmo ontem, hoje e para sempre. Não temos liberdade de criar um Jesus diferente. Também não podemos dizer que, pelo fato de termos os Evangelhos e o Novo Testamento, sabemos tudo o que precisamos a respeito de Jesus. Como o conteúdo apresentado aqui mostrará, e como meus textos mais longos revelam mais detalhadamente, as tradições cristãs muitas vezes entenderam de maneira extremamente equivocada a imagem de Jesus nesses Evangelhos, e é apenas por meio de árduo trabalho histórico que podemos nos mover em direção a uma compreensão mais plena daquilo que os Evangelhos procuram dizer.

O segundo interesse é pelo discipulado cristão que professa seguir o verdadeiro Jesus. As disciplinas de oração e estudo da Bíblia precisam ser, repetidamente, arraigadas no próprio Jesus para que não se tornem idólatras e egocêntricas. Muitas vezes, calamos o rigoroso desafio de Jesus, reconstruímos Jesus à nossa imagem e depois nos perguntamos por que nossa espiritualidade pessoal deixou de ser empolgante e transformadora. Ao longo do texto a seguir, espero tratar dessa questão, pelo menos de forma implícita. Como alguém comentou comigo depois de uma palestra que dei em um congresso, o Jesus que descrevi é um ser humano empolgante e profundamente instigante, algo que nem sempre fica visível nos vitrais da figura de Cristo que ocupam boa parte da imaginação cristã, seja de tradição católica, protestante, ortodoxa ou evangélica.

Terceiro, tenho interesse especial em colocar na mente, no coração e nas mãos da próxima geração de cristãos pensantes uma missão que siga o modelo de Jesus e a motivação para realizá-la, uma missão que transforme nosso mundo pelo poder do evangelho de Jesus. Aqueles que estudam nas universidades e atuam no mercado de trabalho de nosso mundo e desejam ser cristãos leais precisam voltar a refletir sobre o que a lealdade a Jesus significa na prática. Não basta fazer orações em casa, manter uma elevada moralidade pessoal e, depois, sair para trabalhar na reconstrução da torre de Babel. A substância e a estrutura dos diferentes aspectos de nosso mundo precisam ser questionadas à luz da realização singular de Jesus e de nossa comissão para ser para o mundo o que Jesus foi para o Israel de sua época.

Esse tema final explica por que, especialmente nos dois últimos capítulos, fiz todo o possível para tratar, ainda que de forma sucinta, do clima cultural de hoje no mundo ocidental. O rótulo informal e, por vezes, enganoso de "pós-modernidade" aponta para muitos aspectos incômodos e, ao mesmo tempo, desafiadores de nossa cultura. Alguns cristãos consideram esses elementos extremamente ameaçadores. Creio que a mensagem de Jesus Cristo nos permite olhar para eles de forma direta, reconhecendo em que aspectos a pós-modernidade tem a dizer algo que não podemos nos dar o luxo de ignorar, mas afirmando categoricamente que temos de atravessar isso tudo e nos lançar a novas tarefas e possibilidades. Assim como a integridade exige que reflitamos com clareza e rigor a respeito de Jesus, também exige que reflitamos com clareza e rigor a respeito do mundo em que o seguimos hoje, o mundo que somos chamados a moldar com a mensagem de amor e transformação do evangelho.

1
O desafio de estudar Jesus

Introdução

Um amigo meu, que estava lecionando em uma faculdade de teologia no Quênia, apresentou para seus alunos "A busca do Jesus histórico". Explicou-lhes que esse foi um movimento de pensamento e de estudos acadêmicos que, em suas formas iniciais, se desenvolveu principalmente na Alemanha nos séculos 18 e 19. Não tinha avançado muito na explicação sobre essa busca por Jesus quando um dos alunos o interrompeu. "Mestre", ele disse ("Assim que ele me chamou de 'mestre', eu soube que estava em apuros", meu amigo comentou), "se os alemães perderam Jesus, é problema deles. Nós não o perdemos. Nós o conhecemos e o amamos."

A pesquisa sobre Jesus é, de longa data, controversa, especialmente entre cristãos devotos. Muitos no mundo cristão mais amplo se perguntam se há algo de novo a dizer sobre Jesus e se a tentativa de dizer algo novo não é uma negação dos ensinamentos da igreja ou da suficiência das Escrituras. Quero me embrenhar nesse espinheiro logo no início e explicar por que considero não apenas permissível, mas também primordialmente necessário, que voltemos a tratar de quem Jesus era e, portanto, de quem ele é. Ao fazê-lo, não tenho, de maneira nenhuma, a intenção de negar ou solapar o conhecimento de Jesus ao qual o aluno queniano se referiu, a experiência em comum na igreja através dos séculos e em culturas amplamente distintas. Antes, considero o trabalho histórico parte da atividade apropriada de conhecimento e amor, de conhecer ainda melhor aquele que dizemos conhecer e seguir. Se até mesmo em um relacionamento humano de conhecimento e amor podem ocorrer mal-entendidos, impressões falsas e pressuposições equivocadas que precisam ser trazidas à luz e tratadas, quanto mais quando aquele com quem nos relacionamos é Jesus.

Aliás, creio que a busca histórica por Jesus é um aspecto essencial e não negociável do discipulado cristão e que, em nossa geração, temos a oportunidade de ser renovados em discipulado e missão exatamente por meio dessa busca. Quero explicar e justificar essas crenças logo no início. A busca é acompanhada, contudo, de grandes problemas e até de perigos, como seria de esperar de qualquer coisa repleta de potencial para o reino de Deus, e também precisarei tratar deles sucintamente.

Existem riscos bastante conhecidos associados até à simples discussão desse tema, e é melhor sermos claros a respeito desses perigos. É extremamente fácil, quando estamos entre amigos que pensam como nós, tornar-nos complacentes. Ouvimos falar de novas teorias absurdas sobre Jesus. A cada um ou dois meses, uma editora apresenta um sucesso de vendas dizendo que Jesus foi um guru da Nova Era, um maçom egípcio ou um revolucionário *hippie*. A cada um ou dois anos, um estudioso ou um grupo de estudiosos lança um livro novo, cheio de notas de rodapé impressionantes, para dizer que Jesus era um camponês que fazia parte do movimento filosófico cínico, um grande orador itinerante ou um pregador de valores liberais que nasceu na época errada. No dia em que estava revisando o primeiro capítulo deste livro para publicação, vi um artigo de jornal sobre uma nova controvérsia, iniciada por ativistas de direitos dos animais, a respeito da dieta de Jesus, procurando identificar se ele era vegetariano.

É possível que nossa reação diante de coisas desse tipo seja dizer que não passam de perda de tempo, que sabemos todo o necessário a respeito de Jesus e que não há mais nada a dizer. Muitos cristãos devotos que adotam essa linha se contentam com uma superioridade fácil: conhecemos a verdade, esses liberais tolos entenderam tudo errado, e não temos nada de novo a aprender. Por vezes, pessoas como eu são colocadas no meio da discussão para mostrar, supostamente, a verdade do "cristianismo tradicional", com a conclusão implícita de que agora podemos parar de fazer essas perguntas históricas desagradáveis e prosseguir com alguma outra coisa, quem sabe algo mais proveitoso.

A reação de outros, porém, consiste em recorrer a estereótipos igualmente enganosos. A defesa de um suposto Jesus "sobrenatural" pode se degenerar facilmente em um retrato de Jesus como uma espécie de Super-homem do primeiro século, sem perceber que o próprio mito do Super-homem é, em última análise, uma corrupção dualista da história cristã. Muitas imagens de Jesus em circulação parecem bastante devotas, mas desconsideram o que o Novo Testamento diz sobre o ser humano chamado Jesus de Nazaré, ou sobre o que significava em seu contexto original.

Não é minha intenção incentivar nenhuma dessas atitudes. Repito: considero a busca histórica contínua por Jesus parte necessária do desenvolvimento do discipulado cristão. Duvido muito que, na presente era, chegamos ao ponto em que sabemos tudo o que há para se saber e entendemos tudo o que há para se entender sobre Jesus, quem ele era, o que ele disse e fez e quais foram seus propósitos com tudo isso. Mas, uma vez que o cristianismo ortodoxo sempre se apegou firmemente à crença fundamental de que descobrimos quem Deus é ao olhar para Jesus, parece-me inquestionável que tenhamos a expectativa de estar em uma busca contínua por Jesus, como parte, ou talvez como a vanguarda, de nossa exploração do próprio Deus.

Evidentemente, essa ideia tem certas implicações. Se é verdade que a fé cristã não pode arrogar as perguntas históricas a respeito de Jesus, também é verdade que o estudo histórico não pode ser realizado em um vácuo. O Iluminismo nos ensinou a supor que história e fé são antitéticas e que lançar mão de uma é abrir mão da outra. Logo, historiadores costumam ser alvo de suspeitas da comunidade de fé, assim como cristãos sempre são vistos com suspeita na comunidade da historiografia secular. Quando o cristianismo é mais fiel a si mesmo, porém, nega exatamente essa dicotomia, por mais incômoda que seja sua negação para aqueles de nós que procuram viver em ambas as comunidades ao mesmo tempo e falar a partir delas e para elas. Na verdade, creio que o desconforto é, ele próprio, um aspecto da vocação cristã: enquanto nosso mundo passa pela dor intensa provocada pelos espasmos de morte do Iluminismo, o cristão é chamado não a se manter afastado dessa dor, mas a participar dela. Falarei mais a esse respeito no capítulo final deste livro. Não sou um historiador secular que, por acaso, crê em Jesus, nem sou um cristão que, por acaso, tem gosto por história; sou alguém que acredita que ser cristão implica, necessariamente, interagir com a história, e quando essa interação acontece para valer, opõe-se a versões espúrias do cristianismo (entre elas, muitas que se consideram ortodoxas), mas sustenta e regenera uma ortodoxia profunda e verdadeira, algo que sempre será surpreendente e desafiador.[1]

Tratemos, agora, do lado positivo. O que torna essencial estudarmos Jesus?

A necessidade da busca

O motivo mais básico para tratar do aspecto histórico de Jesus é que fomos feitos para Deus: para a glória de Deus, para adorar a Deus e refletir a semelhança de Deus. Esse é o maior desejo de nosso coração e a fonte de nossa mais profunda vocação. Contudo, o cristianismo sempre afirmou, conforme João 1.18, que ninguém jamais viu Deus, mas que Jesus revelou Deus. Só descobriremos quem é o verdadeiro Deus vivo quando corrermos o risco de olhar para Jesus. Por isso as discussões contemporâneas sobre Jesus são tão importantes; em última análise, são discussões sobre Deus.

O segundo motivo pelo qual me dedico ao estudo histórico sério de Jesus é a lealdade às Escrituras. Para alguns de ambos os lados da linha que divide liberais e conservadores, essa pode parecer uma asserção extremamente irônica. Muitos estudiosos de Jesus dos dois últimos séculos obviamente jogaram as Escrituras pela janela e reconstruíram um Jesus bem diferente daquele que encontramos no Novo Testamento. A reação apropriada a essa abordagem, contudo, não é simplesmente reafirmar que, em razão de nossa crença na Bíblia, não precisamos fazer novas perguntas a respeito de Jesus. Como se dá em relação a Deus, também se dá em relação à Bíblia; só porque nossa tradição diz que a Bíblia afirma e significa isto ou aquilo, não nos exime da difícil tarefa de estudá-la com novos olhos, à luz do melhor conhecimento que temos a respeito de seu mundo e de seu contexto, para verificar se essas declarações são verdadeiras. Para mim, a dinâmica do compromisso com as Escrituras não é: "Cremos na Bíblia, portanto não temos mais nada a aprender", mas, sim: "Cremos na Bíblia, portanto, é melhor descobrir todos os seus elementos para os quais nossas tradições (o que inclui tradições 'protestantes' ou 'evangélicas', que se consideram 'bíblicas', mas por vezes comprovadamente não o são) nos cegaram". E esse processo de repensar abrange a tarefa difícil e, por vezes, ameaçadora de perguntar se algumas coisas que nossas tradições consideram "literais" não deveriam ser "metafóricas", e talvez vice-versa, e em caso afirmativo, de identificar quais são essas coisas.

Essa questão nos leva ao terceiro motivo, a saber, o imperativo cristão para buscar a verdade. Cristãos não devem ter medo da verdade. Obviamente, foi isso que muitos reducionistas disseram enquanto, com clara audácia, despojaram o significado do evangelho e o reduziram a uns poucos chavões insípidos, deixando para trás a mensagem afiada e robusta de Jesus. Não é o que pretendo fazer. Meu objetivo é me aprofundar no significado mais do que fizemos até aqui e voltar a uma reafirmação do evangelho que fundamente com mais firmeza em seu cenário original aquilo em que cremos a respeito de Jesus, da cruz, da ressurreição e da encarnação. Quando recito os magníficos credos cristãos, como faço a cada dia no culto, eu os pronuncio de coração, mas depois de vinte anos de estudos históricos tenho em mente algo muito mais profundo e muito mais desafiador do que quando comecei. Não posso obrigar meus leitores a me seguir nessa peregrinação específica, mas posso oferecer, e ofereço, um convite para ver Jesus, os Evangelhos, nós mesmos, o mundo e, acima de tudo, Deus sob uma nova e, talvez, incômoda luz.

O quarto motivo para estudar Jesus é o compromisso cristão com a missão. A missão da maioria dos cristãos que provavelmente lerão este livro se desenrola em um mundo em que Jesus é um assunto polêmico há muitos anos. Especialmente nos Estados Unidos, Jesus — e a busca por ele — apareceu na revista *Time*, na televisão e em outras partes da mídia. E as pessoas com as quais cristãos comuns se encontram, com as quais devem tratar do evangelho, ouviram repetidamente da mídia, com base neste ou naquele livro recente, que o Jesus dos Evangelhos não tem nenhuma credibilidade histórica e que o cristianismo se baseia, portanto, em um equívoco. De nada adianta declarar que esses questionamentos são inaceitáveis e dizer que os ensinamentos da igreja são suficientes para nós, que estamos satisfeitos com eles e não precisamos fazer perguntas históricas. Não podemos dizer uma coisa dessas para uma pessoa séria, que esteja buscando respostas, com a qual conversamos no trem, ou para alguém que entre na igreja no domingo e pergunte o que estamos fazendo ali. Se o cristianismo não é arraigado em coisas que verdadeiramente ocorreram na Palestina do primeiro século, podemos muito bem escolher ser budistas, marxistas ou qualquer outra coisa. E se Jesus nunca existiu, ou se era bem diferente daquilo que os Evangelhos e o culto da igreja afirmam a seu respeito, vivemos em uma fantasia absurda. Os céticos podem e devem receber respostas, e cabe a nós, ao lhes dar essas respostas, não apenas reafirmar as tradições da igreja, seja ela protestante, católica, evangélica ou de qualquer outra linha. Somos motivados a reinterpretar essas tradições, a descobrir dentro delas profundezas de significado que nunca havíamos imaginado.

Um dos motivos pelos quais nunca havíamos imaginado algumas dessas profundezas que, creio eu, podem ser conhecidas, se encontra em nosso cenário histórico e cultural. Sou historiador do primeiro século, e não especialista na Reforma ou no século 18. Não obstante, do pouco que sei dos últimos quinhentos anos de história europeia e americana, creio que podemos dizer que o desafio do Iluminismo do século 18 ao cristianismo histórico foi a *formulação enganosa de uma pergunta necessária*. A divisão do cristianismo contemporâneo em liberais e conservadores costuma ser entre aqueles que, em razão de terem visto a necessidade de fazer a pergunta histórica, imaginaram que precisasse ser feita segundo os padrões do Iluminismo, e aqueles que, em contrapartida, em razão de terem percebido o caráter enganoso da formulação iluminista da pergunta, imaginaram que a pergunta histórica em si fosse desnecessária. Primeiro, deixe-me falar da necessidade da pergunta do Iluminismo e, em seguida, da forma enganosa com que foi tratada.

A fim de entender por que a pergunta histórica do Iluminismo era necessária, temos de voltar um pouco mais no tempo, até a Reforma protestante do século 16. O protesto da Reforma contra a igreja medieval foi, em medida considerável, um protesto a favor de uma interpretação *histórica* e *escatológica* do cristianismo em contraste com um sistema atemporal. Investigar o significado *histórico* literal dos textos, como os reformadores afirmaram que devemos fazer, significou realizar uma interpretação histórica: tornou-se de suma importância entender o que Jesus e Paulo verdadeiramente queriam dizer, e não o que a igreja, muito depois, afirmou que eles queriam dizer. "Voltem ao começo", exortavam os reformadores, "e vocês descobrirão que o sistema desenvolvido no catolicismo se baseia em um equívoco." Essa ideia apoiava a ênfase *escatológica* da Reforma: a cruz foi realização definitiva de Deus, que nunca seria repetida, como os reformadores viam seus opositores católicos fazerem na missa. Contudo, pode-se dizer que os reformadores nunca permitiram que essa consideração fundamental os levasse além da metade do caminho no tocante a Jesus. Os Evangelhos continuaram a ser tratados como repositórios de verdadeira doutrina e ética. Na medida em que eram história, eram a história do momento em que a verdade atemporal de Deus foi estabelecida no espaço e no tempo, em que calhou de ocorrer a ação que realizou a expiação atemporal. Sei que essa é uma apresentação excessivamente simplificada, mas creio que seja corroborada pelo que veio a seguir. A teologia pós-Reforma adotou as considerações dos reformadores como novo conjunto de verdades atemporais e as empregou para elaborar novos sistemas de dogma, ética e ordem da igreja em que, mais uma vez, interesses de determinados grupos foram atendidos e novas ideias foram suprimidas.

O Iluminismo foi, entre várias outras coisas, um protesto contra um sistema que, baseado ele próprio em um protesto, não se considerava carente de mais reformas. (Uma pergunta fascinante é: até que ponto o Iluminismo foi uma versão secularizada da Reforma? É uma pergunta a ser tratada por valentes candidatos ao doutorado, e não tema para um livro como este. Contudo, temos de pelo menos dialogar com essas possibilidades a fim de compreender de onde viemos e, portanto, para onde talvez estejamos sendo chamados a ir.) De modo específico, o Iluminismo, na pessoa de Hermann Samuel Reimarus (1694–1768), desafiou o dogma supostamente cristão irrefletido a respeito do filho eterno de Deus e a instituição por ele de um sistema opressor chamado "cristianismo". Reimarus questionou esse sistema em nome da história, a mesma arma que os reformadores haviam usado contra o catolicismo. Em sua visão, se voltarmos ao início, descobriremos que o cristianismo se baseia em um equívoco. Afinal, Jesus foi apenas mais um de uma longa série de revolucionários judeus malsucedidos. O cristianismo como o conhecemos foi inventado pelos primeiros discípulos.[2]

Creio que a pergunta feita por Reimarus era necessária. Era necessária para sacudir o cristianismo europeu a fim de que saísse de seu dogmatismo e enfrentasse um novo desafio: adquirir maior entendimento a respeito de quem Jesus era, de fato, e do que ele havia realizado. Era necessária para desafiar o dogma insípido com uma realidade viva; necessária para desafiar as distorções idólatras a respeito de quem Jesus realmente era e, portanto, de quem Deus realmente era e é, com uma nova compreensão da verdade. O fato de Reimarus ter dado uma resposta historicamente insustentável para a pergunta que ele próprio fez não significa que ele não fez a pergunta certa. Quem era Jesus, e o que ele realizou?

Essa necessidade foi ressaltada no século 20, como Ernst Käsemann observou claramente. Veja o que acontece, disse ele em uma preleção famosa de 1953, quando a igreja abandona a busca por Jesus. Os anos entre as guerras mundiais, em que a igreja não empreendeu essa busca, criaram um vácuo em que foram oferecidas versões não históricas de Jesus e que legitimaram a ideologia nazista. Eu chegaria a propor que, sempre que a igreja se esquece de seu chamado para entender de modo cada vez mais pleno quem Jesus é, idolatria e ideologia estão à mão. Renunciar à busca porque não gostamos das alternativas propostas pelos historiadores até agora não é a solução.

Contudo, o modo como o Iluminismo articulou a pergunta a respeito de Jesus foi radicalmente enganosa, fato que ainda exerce efeitos profundos sobre a pesquisa de hoje. O Iluminismo insistia manifestamente em separar história de fé, fatos de valores, religião de política, o natural do sobrenatural, de uma forma cujas consequências estão gravadas na história dos dois últimos séculos. Uma dessas consequências, aliás, é que cada uma dessas categorias agora é acompanhada, na mente de milhões de pessoas ao redor do mundo, de uma oposição implícita a sua correlata. Vemo-nos, portanto, diante da grande dificuldade de pensar em um mundo em que essas categorias pertencem uma à outra como parte de um só todo indivisível. Também nesse caso, boa parte da discussão entre "liberais" e "conservadores" ocorreu nessa importante linha divisória (história *ou* fé, religião *ou* política, e assim por diante), enquanto a verdadeira batalha, o desafio de rearticular uma cosmovisão reintegrada, nem sequer foi iniciada. No entanto, o Iluminismo tem um problema ainda mais sério que sua cosmovisão radicalmente dividida. O verdadeiro problema foi ele ter oferecido uma *escatologia* concorrente à escatologia cristã. Cabe aqui uma breve explicação.

O cristianismo, como veremos, começou com a crença plenamente judaica de que a história do mundo tinha como foco um só lugar geográfico e um só momento no tempo. Os judeus tomavam por certo que seu país e sua capital eram esse lugar e que o momento, embora não soubessem exatamente quando viria, estava próximo. O Deus vivo derrotaria o mal de uma vez por todas e criaria um novo mundo de justiça e paz. Os primeiros cristãos acreditavam que essa expectativa tinha se concretizado, em princípio, em Jesus de Nazaré e por meio dele; como veremos, acreditavam assim porque (a) o próprio Jesus tinha crido nisso e (b) Deus tinha dado vitória a Jesus depois de sua execução. Esse era o cerne da escatologia cristã primitiva: não a expectativa de um fim literal do universo de espaço e tempo, mas a percepção de que a história do mundo estava chegando ou, na verdade, havia chegado a seu único ápice pretendido.

Como vimos, os reformadores compreenderam essa realidade em princípio. É verdade que Martinho Lutero usou o exílio de Israel na Babilônia como metáfora que norteou seu entendimento da história da igreja, em que a igreja, como Israel, vinha sofrendo um "cativeiro babilônico" havia vários séculos, até seus dias. O pronunciado enfoque de Lutero sobre Jesus, porém, impediu sua abordagem de se tornar uma escatologia rival, separada de suas raízes no primeiro século. Embora Lutero visse sua época como um tempo especial, em que Deus estava realizando algo novo, considerava essa circunstância estritamente secundária: o verdadeiro novo dia havia raiado, de uma vez por todas, com Jesus. A nova "grande luz" de Lutero não ofuscava a Luz do Mundo.

Com o Iluminismo, todavia, foi dado esse passo além. Tudo o que o havia antecedido era uma forma de cativeiro, de escuridão; agora, por fim, a luz e a liberdade haviam raiado. A história do mundo finalmente havia alcançado seu ápice, seu verdadeiro recomeço, não em Jerusalém, mas na Europa ocidental e nos Estados Unidos; não no primeiro século, mas no século 18. (Talvez nos seja permitido um pequeno sorriso irônico diante do forte desprezo que os pensadores pós-Iluminismo dirigem, até hoje, à ideia aparentemente ridícula de que a história do mundo tenha chegado a seu ápice em Jerusalém dois mil anos atrás, ao mesmo tempo que eles próprios adotam uma ideia que, como sabemos, é no mínimo igualmente ridícula.) Portanto, uma vez que a questão necessária do Iluminismo (sobre o Jesus histórico) foi tratada nos termos do próprio Iluminismo, era inevitável não apenas que a cristologia entrasse em colapso e se dividisse nos dois campos hostis de naturalistas e sobrenaturalistas — em outras palavras, que fossem produzidas imagens de Jesus em que o personagem central era um judeu comum do primeiro século ou uma figura de Super-homem inumana e improvável —, mas também que tanto liberais quanto conservadores considerassem extremamente difícil formar uma nova concepção do mundo escatológico judaico do primeiro século, o único cenário ao qual o Jesus verdadeiramente histórico pertence. Era quase inescapável que Jesus aparecesse como mestre de verdades perenes liberais ou de verdades perenes conservadoras. A ideia de que ele fosse o ponto de mudança da história era, para muitos de ambos os campos, quase literalmente impensável. Até mesmo Albert Schweitzer, que com grande alarde trouxe de volta para o estudo de Jesus a perspectiva escatológica, entendeu essa perspectiva de forma fundamentalmente equivocada.

É verdade, contudo, que Schweitzer alertou os pensadores cristãos para algo que levou quase um século para assimilarmos: o mundo em que Jesus viveu e ao qual ele se dirigiu com sua mensagem a respeito do reino era um mundo em que a expectativa judaica da ação culminante e decisiva de Deus dentro da história ocupava o primeiro plano. Foi isso, a meu ver, que deu novo ímpeto ao estudo sobre Jesus, e é o que torna essencial nos dedicarmos a esse estudo. Quando devidamente entendida, a resposta de Schweitzer à pergunta de Reimarus — de que Jesus pertence ao mundo dessa expectativa judaica do primeiro século — nos permite perceber que, ao nos dedicar ao estudo de Jesus, podemos entender muito melhor, aliás, melhor do que os reformadores, o que significou, no mundo de Jesus, Deus agir de forma pontual e singular, gerando uma resposta que não seria uma repetição desse ato inicial, mas, sim, sua apropriação e implementação.

Creio, portanto, que dentro das várias tarefas que Deus chama a igreja a realizar em nossa geração, temos a incumbência necessária de tratar da pergunta proposta pelo Iluminismo: quem era, exatamente, Jesus e o que, exatamente, ele realizou? E creio que há maneiras de tratar dessa pergunta que não caem na armadilha de simplesmente reorganizar as categorias do próprio Iluminismo. Temos em nossa geração uma nova oportunidade de avançar em nosso pensamento, em nossa oração, em toda a nossa vida cristã, sem dúvida por vários meios, mas, principalmente, ao tratar da questão do Jesus histórico de maneiras inéditas e criativas.

Tudo isso me leva a explorar o cenário humano, histórico, cultural e político, bem como o significado daquilo que os Evangelhos dizem a respeito de Jesus. Cristãos ortodoxos não devem considerar essa abordagem uma ameaça. É verdade que a tradição cristã ortodoxa contemporânea que eu e muitos de meus leitores herdamos foi concebida e articulada em um cenário de reducionismo modernista e secularista. Dentro desse cenário, era essencial declarar, como cristãos ortodoxos fizeram com frequência nos dois últimos séculos, que as Escrituras foram dadas por Deus, que Jesus é divino, e assim por diante. No entanto, nossos antepassados na fé tinham plena consciência de que também havia erros na direção oposta: formas de crença e comportamento que consideravam Jesus um semideus, nem um pouco humano, que percorreu o mundo como figura divina e heroica, imperturbável diante de problemas humanos, sereno quanto a sua vocação, consciente de que não fazia parte do sistema, dizendo a outros como podiam escapar do mundo perverso e viver para sempre em um domínio inteiramente diferente. Foi a partir dessa cosmovisão que se desenvolveu, e ainda se desenvolve, o gnosticismo, sistema multifacetado de pensamento e espiritualidade em que é possível obter um conhecimento secreto ("gnose") que permite aos seres humanos redescobrir sua identidade secreta perdida e, dessa forma, escapar do mundo presente e desfrutar felicidade em uma esfera de realidade inteiramente distinta.

O gnosticismo, em uma ou outra de suas muitas formas, está voltando com força total em nossos dias. Por vezes, é explícito, como no caso dos movimentos da Nova Era e espiritualidades afins que incentivam as pessoas a descobrir quem elas "realmente" são. Com igual frequência, porém, gnosticismo de uma espécie diferente é oferecido dentro da suposta ortodoxia tradicional corrente em que muitos cristãos aceitam um Jesus que apenas *parecia* humano, leem uma Bíblia que apenas *parece* ter autores humanos e buscam uma salvação em que a ordem criada de Deus se torna irrelevante, uma salvação vista de forma quase inteiramente dualista. Ai de nós se, em nosso compromisso de vencer as batalhas de ontem contra versões reducionistas do cristianismo, deixarmos de nos envolver nas batalhas de amanhã, que podem ser bem diferentes.

Novas oportunidades na busca

Mas por que, então, devemos supor que há algo de novo a ser dito acerca de Jesus? Essa é uma pergunta que ouço com frequência tanto de jornalistas quanto de cristãos perplexos sem propensões acadêmicas. A resposta, na verdade, é que há e não há. A simples novidade quase sempre cai em erro: se tentarmos dizer que Jesus não anunciou o reino de Deus, ou que, na verdade, ele era um pensador do século 20 que nasceu fora de época, seremos justificadamente rejeitados. Mas o que Jesus quis dizer quando falou do reino de Deus? Essa e inúmeras outras perguntas relacionadas são muito mais difíceis do que se costuma supor, e o lugar para buscar novo esclarecimento é a história do tempo de Jesus, isto é, o judaísmo do primeiro século, com toda a sua complexidade, e com todas as ambiguidades de nossas tentativas de reconstruí-lo.

Evidentemente, há diversas ferramentas novas disponíveis para nos ajudar nessa tarefa. Temos os Manuscritos do Mar Morto, todos finalmente em domínio público. Temos boas edições novas de dezenas de textos judaicos que, até o presente, eram difíceis de encontrar, e temos crescente literatura secundária a seu respeito. E temos descobertas arqueológicas de vários tipos, por mais complexas que sejam de interpretar. Claro que há sempre o perigo tanto de simplificar quanto de complicar excessivamente. Nossas fontes não nos permitem traçar um mapa sociológico completo da Galileia e da Judeia no tempo de Jesus. Sabemos o suficiente, porém, para dizer muita coisa, por exemplo, sobre os objetivos dos fariseus; também sabemos muita coisa sobre as aspirações que vieram a ser preservadas naquilo que chamamos literatura apocalíptica, bem como seu motivo; sabemos bastante sobre o que os romanos desejavam alcançar na Palestina, e sobre o que os principais sacerdotes e a dinastia herodiana buscavam em suas lutas incertas por um poder negociado. Em outras palavras, sabemos um bocado sobre os contextos necessários para entender Jesus.

Talvez possamos dizer algo, também, a respeito dos camponeses galileus, embora, a meu ver, seja menos do que afirmam alguns escritores atuais. Há quem considere a cultura camponesa da sociedade mediterrânea antiga a influência predominante na Galileia do tempo de Jesus, com tons apocalípticos judaicos bastante atenuados; dentro desse contexto, o anúncio por Jesus do reino é mais ligado ao tipo de protesto social que poderia surgir em qualquer cultura do que a aspirações especificamente judaicas.[3] Deixe-me enfatizar duas coisas: essa é uma ideia equivocada, e mostrar que ela é equivocada não reduz o elemento de protesto social que ainda assim se observa nos anúncios do reino muito mais abrangentes e mais teologicamente fundamentados que podemos atribuir devidamente a Jesus. Enfatizo, da mesma forma, que uma das coisas que sabemos a respeito de sociedades camponesas como a de Jesus é que dependiam fortemente de tradições orais, especialmente de tradições da narração instantânea de histórias. Quando entendemos esse fato corretamente, evitamos, de imediato, o reducionismo extraordinário que caracterizou o movimento chamado Jesus Seminar [Seminário sobre Jesus] e sua tentativa de descartar a autenticidade da maioria das narrativas sobre Jesus com base na ideia de que as pessoas só teriam se lembrado de pronunciamentos isolados, e não de histórias completas.[4] Meu argumento geral, porém, é este: ainda há muito estudo histórico a ser buscado e empreendido, e temos muito mais ferramentas para realizá-lo do que a maioria de nós consegue acompanhar. Se verdadeiramente cremos, em algum sentido, na encarnação da Palavra, temos de levar a sério a carne que a Palavra se tornou. E, uma vez que essa carne era judaica e do primeiro século, devemos nos alegrar com todo e qualquer avanço em nossa compreensão do judaísmo do primeiro século e procurar aplicar esse conhecimento a nossa interpretação dos Evangelhos.

E devemos asseverar que o fazemos não para solapar o que os Evangelhos dizem, nem para substituir suas narrativas com outras diferentes, que nós criamos, mas para entender qual é, verdadeiramente, sua essência. Uma objeção comum para a busca pelo Jesus histórico consiste em dizer que Deus nos deu os Evangelhos e que não podemos e não devemos colocar uma elaboração nossa em seu lugar. No entanto, essa é uma compreensão equivocada da natureza da tarefa. Justamente pelo fato de esses textos serem lidos e pregados como Escrituras sagradas há dois mil anos, mal-entendidos de toda espécie se infiltraram na tradição da igreja e se tornaram parte dela. O historiador percebe, com frequência, não necessariamente que os Evangelhos precisam ser rejeitados ou substituídos, mas que não queriam dizer aquilo que a tradição cristã posterior imaginou.

Apresento um exemplo óbvio, que será de interesse à medida que desenvolvermos esse assunto. Martinho Lutero se opôs acertadamente à tradução medieval de *metanoeite* por *paenitentiam agere* ("fazer penitência") e insistiu que o termo se referia originalmente a "arrependimento" no mais recôndito do coração humano, e não a ações exteriores prescritas quase como castigo. Ele não tinha como saber que seu entendimento do sentido desse termo seria usado, por sua vez, para apoiar uma interpretação individualista e pietista da ordem de Jesus para que nos arrependamos, uma interpretação que não faz jus, de maneira nenhuma, ao significado do termo no primeiro século. Jesus estava exortando seus ouvintes a abrir mão de todo o seu modo de vida, de suas prioridades nacionais e sociais, e a confiar nele e formar prioridades diferentes, um conjunto diferente de objetivos. Evidentemente, o processo implicava mudança interior, mas ia muito além.[5]

Esse exemplo ilustra um ponto que poderia ser repetido dezenas de vezes. A pesquisa histórica, como procurei mostrar em diversas ocasiões, não nos diz, de maneira nenhuma, para descartar os Evangelhos e colocar uma narrativa completamente diferente em seu lugar. Adverte-nos, porém, que nossa interpretação habitual dessas narrativas dos Evangelhos pode muito bem ter de se sujeitar a séria oposição e questionamentos, e talvez, no fim das contas, entendamos até mesmo nossos textos prediletos de maneiras que jamais havíamos imaginado. Uma vez que esse objetivo é, portanto, verdadeiramente protestante, católico, evangélico e liberal, sem falar que também é potencialmente carismático, pode ser adotado por pessoas de todas as linhas da igreja. Estar preparados para ler textos conhecidos de novas maneiras exige, obviamente, certa medida de coragem. Mas vale muito a pena. Aquilo que perdemos de nossas interpretações habituais é mais que compensado por aquilo que ganhamos.

Trilhas falsas na busca

A fim de entender onde estamos em meio às opções desnorteantes na busca atual, é proveitoso observar qual era a situação cem anos atrás.[6] Três figuras se destacam. William Wrede defendeu ceticismo uniforme: não há como saber muita coisa a respeito de Jesus, ele certamente não se enxergava como Messias ou Filho de Deus, e os Evangelhos são, basicamente, ficção teológica. Albert Schweitzer propôs escatologia uniforme: Jesus tinha a mesma expectativa apocalíptica do primeiro século do fim de todas as coisas e, embora tenha morrido antes de sua concretização, deu início a um movimento escatológico que se tornou o cristianismo. Além disso, Mateus, Marcos e Lucas o entenderam de modo razoavelmente correto. Em contraste com esses dois posicionamentos, Martin Kähler defendeu a ideia de que a busca por um Jesus puramente histórico se baseava em um equívoco, pois a verdadeira figura que ocupa o cerne do cristianismo é o Cristo da fé da igreja, acerca do qual ela pregava e no qual ela cria, e não uma invenção da imaginação do historiador.

Esses três posicionamentos estão vivos e ativos no século 21. O movimento Jesus Seminar e diversos escritores afins se alinham com Wrede. Sanders, Meyer, Harvey e vários outros, entre os quais me incluo, se alinham com Schweitzer. Luke Timothy Johnson é nosso Kähler contemporâneo, que roga uma praga sobre todas as casas.[7] Uma vez que fui criticado, por vezes de forma bastante mordaz, por apresentar esse tipo de análise da situação atual, quero fornecer algumas explicações e, quem sabe, talvez até justificativas.

Como bem sabemos, a perspectiva de Schweitzer sobre Jesus foi tão mal recebida nos círculos teológicos tradicionais que depois dela se seguiu meio século de pouca pesquisa séria sobre Jesus. A chamada "Nova Busca" das décadas de 1950 e 1960 contribuiu em certa medida para o recomeço dos trabalhos, mas nunca chegou a recuperar o sério vigor histórico. Livros e artigos dedicavam mais tempo a discutir os critérios para a autenticidade que a apresentar hipóteses relevantes sobre Jesus. Em meados da década de 1970, a sensação era de estagnação. Foi nessa época que começou a surgir um novo estilo de historiografia de Jesus, que se distinguia claramente da chamada "Nova Busca". A meu ver, o melhor livro desse período foi *The Aims of Jesus* [Os alvos de Jesus], de Ben Meyer,[8] que recebeu menos atenção do que deveria justamente porque saiu do padrão e, talvez, porque fez pesadas exigências de um mundo acadêmico do Novo Testamento desacostumado a refletir minuciosamente sobre suas premissas e métodos com grande rigor filosófico. Seis anos depois de Meyer, a obra de Ed Sanders, *Jesus and Judaism* [Jesus e o judaísmo],⁹ deu continuidade a essa tendência. Ambos os livros rejeitavam os métodos da Nova Busca; ambos apresentavam reconstruções de Jesus que faziam uso completo e contínuo da escatologia apocalíptica judaica; ambos ofereciam hipóteses plenamente desenvolvidas que faziam razoável sentido dentro do judaísmo do primeiro século, em lugar de uma reconstrução fragmentada, baseada em uma pequena coletânea de pronunciamentos supostamente autênticos, porém isolados, que caracterizava a "Nova Busca".

Diante disso, propus no início da década de 1980 que estávamos testemunhando o que chamei "terceira busca" por Jesus. Apesar do uso que foi dado a essa expressão em algumas ocasiões desde então, a intenção não era que designasse de modo abrangente toda a pesquisa sobre Jesus das décadas de 1980 e 1990. Era uma forma de fazer distinção entre a nova onda que acabei de descrever e o movimento de "Nova Busca" que ainda estava em andamento. Creio que os acontecimentos dos últimos trinta anos confirmaram amplamente minha avaliação. Aquilo que Meyers, Sanders e vários outros estavam fazendo era consideravelmente distinto (em vários aspectos que podem ser apresentados de forma clara, arrazoada e incontroversa) da "Antiga Busca" anterior à época de Schweitzer e da "Nova Busca" iniciada por Ernst Käsemann e registrada, de forma proeminente, por James M. Robinson.¹⁰ Diante disso, quando o Jesus Seminar, depois J. Dominic Crossan, e depois especialmente o próprio Robert Funk, fundador e diretor do Jesus Seminar, deram continuidade de modo explícito ao trabalho da Nova Busca (no caso de Funk, fazendo questão de usar essa abordagem),¹¹ considero-me justificado em manter essa distinção entre os movimentos supracitados. Evidentemente, a história contemporânea se recusa a permanecer parada e a ser dissecada em partes ordenadas. Vários escritores atravessam as linhas divisórias de um lado e de outro. Contudo, persisto em manter a distinção entre o caminho de Wrede e o caminho de Schweitzer, e em afirmar que este último oferece esperança mais concreta de reconstrução histórica séria.

Desenvolvi em vários outros textos uma argumentação detalhada contra o Jesus Seminar, e especificamente contra Crossan, e seria cansativo repeti-la aqui. Quero deixar claro, porém, que discordo de Crossan, de Funk e do Jesus Seminar e, em diferentes aspectos, de Marcus Borg, não porque estão errados em levantar os questionamentos que levantam, mas porque creio que suas premissas, métodos, argumentos e conclusões podem ser contestados com sucesso por bons motivos históricos, e não ao lançar mão de preconcepções teológicas. Não é suficiente, nem seria honesto, descartar esses escritores como se fossem um bando de liberais ou incrédulos desafetos. Temos de participar de discussões concretas sobre temas concretos.

Um dos melhores argumentos, contudo, é a apresentação de uma hipótese alternativa capaz de desempenhar a função que cabe a uma hipótese bem-sucedida: conferir sentido aos dados, fazê-lo com simplicidade fundamental e esclarecer outras áreas.[12] É para essa tarefa que nos voltaremos em seguida. Permita-me concluir este capítulo, porém, com um apelo para que outros não apenas leiam sobre essa tarefa como observadores externos interessados, mas também se envolvam com ela.

Afirmei que a busca histórica por Jesus é necessária para o bem da igreja. Entristece-me ver que, tanto na Inglaterra quanto nos Estados Unidos, parece haver tão poucos na igreja (tão erudita em tantas outras áreas e com mais recursos e auxílios educacionais que em qualquer outra época) dispostos a dedicar a esses temas o tempo e a atenção que eles merecem. Anseio pelo dia em que estudantes de teologia voltarão a ter prazer no estudo detalhado e fascinado do primeiro século. Se esse século não foi o momento em que a história chegou a seu grande ápice, a igreja está simplesmente perdendo tempo.

Esse não é um trabalho apenas para alguns especialistas que operam nos bastidores. Se os próprios líderes da igreja dedicassem mais tempo a estudar Jesus e os Evangelhos e ensinar a seu respeito, muitas outras coisas com as quais nos preocupamos na vida diária da igreja seriam vistas pelas lentes corretas. Com muita frequência, parte-se do pressuposto de que os líderes da igreja estão acima do trabalho prático e detalhado do estudo teológico e bíblico; supomos implicitamente que já fizeram tudo isso antes de ocupar o cargo em que se encontram, e agora só precisam entender quais são as "implicações". Passam, então, horas incontáveis junto a suas escrivaninhas administrando a igreja como se fosse uma empresa, angariando recursos ou trabalhando em dezenas de outras atividades, em vez de estudar em profundidade os documentos fundamentais e investigar de modo mais detalhado o Jesus que devem seguir e ensinar outros a seguir. Creio, pelo contrário, que cada geração precisa lidar de nova maneira com o tema de Jesus, sobretudo com suas raízes bíblicas, a fim de ser, verdadeiramente, igreja; não é uma questão de nos dedicarmos à dogmática abstrata em detrimento de nosso envolvimento com o mundo, mas de descobrir cada vez mais quem Jesus era e é a fim de estarmos preparados para interagir com o mundo que ele veio para salvar. E esse é um trabalho para a igreja toda, especialmente para aqueles que foram nomeados para papéis de liderança e de ensino dentro dela.

Todo o nosso estudo histórico deve, portanto, ser realizado para dar vigor à igreja em sua missão no mundo. Isso não significa que não estamos abertos para acompanhar a argumentação aonde ela nos levar, ou que não estamos abertos para ler todos os textos canônicos e não canônicos que possam nos ajudar no percurso da trilha histórica. Pelo contrário. Uma vez que cremos que fomos chamados para ser povo de Deus para o mundo, temos de abordar todo o trabalho histórico com a mais absoluta seriedade. Temos de estudar todas as evidências e refletir sobre todos os argumentos. Sinto-me feliz de fazer parte de uma tradição eclesiástica específica, a igreja anglicana ou episcopal, que tem uma longa e nobre história de seguir exatamente esse caminho (embora, em anos recentes essa tradição esteja um tanto adormecida). Faz parte dessa tradição, em sua melhor forma, estar preparada para repensar temas, algo que outras tradições como a "protestante" ou a "evangélica" fariam bem em imitar.

Ao seguir por esse caminho, porém, temos de lembrar repetidamente, como as liturgias das igrejas tradicionais fazem em tantos aspectos, que, ao contar a história de Jesus, nós o fazemos como parte da comunidade chamada para exemplificar essa história para o mundo. Quanto mais participo da busca por Jesus, mais sou desafiado por ela como indivíduo e como ministro. Isso não acontece porque as coisas que encontro enfraquecem a ortodoxia tradicional, mas, sim, porque a ortodoxia robusta que vejo fervilhar nas páginas da história apresenta desafios para mim pessoalmente e para todas as igrejas que conheço. Esses desafios impõem grandes exigências, exatamente porque são desafios do evangelho, desafios do reino. Nesse aspecto, ser alguém que busca é a mesma coisa que ser discípulo. Significa tomar a cruz e seguir por onde Jesus conduzir. E tanto a boa notícia quanto a má notícia é que somente ao seguirmos por esse caminho mostramos que verdadeiramente compreendemos a história. Somente ao seguirmos por esse caminho outros levam a sério nossos argumentos, quer sejam históricos quer teológicos. Somente ao seguirmos por esse caminho seremos o meio pelo qual a Busca, que começou de forma tão ambígua como parte do programa do Iluminismo, terá cumprido o estranho propósito que, a meu ver, por ordem de Deus, ela veio a existir para cumprir. Não tenha medo da Busca. Ela pode ser parte do meio pelo qual será concedida à igreja de nossos dias uma nova perspectiva, não apenas de Jesus, mas de Deus.

Focalizemos, portanto, nosso tema. Como parte de nossa busca geral por seguir Jesus Cristo e dar forma a nosso mundo de acordo com a vontade de Deus, tratamos de um conjunto de indagações. Elas podem ser reunidas em cinco perguntas específicas que examinaremos adiante:

1. Que lugar Jesus ocupa dentro do mundo judaico de sua época?
2. Qual era, de modo específico, a tônica de sua pregação sobre o reino? Qual era seu objetivo?
3. Por que Jesus morreu? Mais especificamente, qual era sua intenção ao ir para Jerusalém naquele último momento fatídico?
4. Por que a igreja primitiva teve início e por que assumiu sua forma característica? De modo específico, obviamente, o que acontece na Páscoa?
5. De que maneira tudo isso é relacionado à visão e ao trabalho cristãos de hoje? Em outras palavras, como essa abordagem histórica e profundamente teológica faz arder nosso coração e coloca poder em nossas mãos ao nos lançarmos à tarefa de dar forma a nosso mundo?

É difícil tratar de todos esses temas simultaneamente. Em certo sentido, o leitor só entenderá a relevância das partes quando for possível observar o todo. Se a maturidade humana é evidenciada por diferimento de recompensa, um sinal de maturidade cristã talvez seja a disposição de ler a argumentação até o final, sem pular partes à procura de uma espiritualidade ou missiologia com soluções fáceis. Como em outras áreas, a paciência também é uma virtude na história e na teologia.

2
O desafio do reino

Introdução

O que Jesus quis dizer quando afirmou que o reino de Deus estava próximo? Ou, em outras palavras, o que o camponês galileu comum ouviu quando um jovem profeta entrou em seu vilarejo e anunciou que o Deus de Israel estava, enfim, se tornando Rei? A grande maioria dos estudiosos ao longo dos anos concorda que o reino de Deus era essencial para a mensagem de Jesus; não há consenso, porém, a respeito do que essa expressão e ideias cognatas verdadeiramente significavam. Portanto, no presente capítulos temos de, primeiramente, esboçar em linhas gerais o cerne de significado que essa expressão tinha para um judeu do primeiro século e, então, explorar a declaração de Jesus por três ângulos distintos.

O judaísmo do primeiro século

Para responder a nossa pergunta, precisamos empreender uma jornada tão difícil para nós no mundo ocidental contemporâneo quanto a jornada realizada pelos Sábios que foram a Belém. Em nossa reflexão, temos de voltar no tempo, ao mundo de outras pessoas; especificamente, ao mundo do Antigo Testamento como era percebido e vivenciado pelos judeus do primeiro século. Esse foi o mundo ao qual Jesus se dirigiu, o mundo cujas inquietações ele tomou para si. Enquanto não soubermos como os contemporâneos de Jesus pensavam, não será apenas difícil entender o que ele queria dizer ao falar do "reino de Deus"; será absolutamente impossível, como infelizmente mostraram gerações de cristãos bem-intencionados, porém equivocados.

Percebo de imediato que alguns talvez imaginem, com certa relutância: "Tudo bem, suponho que tenhamos de fazer uma imersão nesse conteúdo judaico do primeiro século, mas somente para que, depois de entender como Jesus se dirigiu a sua cultura, possamos aprender a nos dirigir a nossa cultura da mesma forma". Há um grão minúsculo de verdade nessa colocação, mas há uma porção bem maior de engano. A verdade mais importante se encontra em nível muito mais profundo. Antes de obtermos a aplicação para nossos dias, temos de levar em plena consideração a singularidade da situação e do posicionamento de Jesus. Afinal, Jesus não foi apenas exemplo de alguém que fez o que era certo. Jesus cria em dois pontos fundamentais e agia em conformidade com eles, e não seremos capazes de começar a entendê-lo sem compreender esses dois pontos. Eles são de suma importância para tudo o que segue.

Primeiro, ele acreditava que o Deus criador tinha como propósito, desde o início, tratar dos problemas em sua criação e resolvê-los *por meio de Israel*. Israel não devia ser apenas "exemplo" de nação sob governo divino; Israel devia ser o meio pelo qual o mundo seria salvo. Segundo, como muitos de seus contemporâneos, ainda que não todos, Jesus acreditava que essa vocação se cumpriria quando a história de Israel chegasse a um grande momento culminante, em que o próprio Israel seria salvo de seus inimigos e por meio do qual o Deus criador, o Deus da aliança, finalmente expressaria para o mundo todo seu amor e sua justiça, sua misericórdia e sua verdade, e traria renovação e cura para toda a criação. Em linguagem técnica, refiro-me aqui a *eleição* e *escatologia*: a escolha de Israel por Deus para ser o meio de salvação para o mundo; a condução por Deus da história de Israel a seu ápice, por meio do qual justiça e misericórdia abarcariam não apenas Israel, mas o mundo todo.

Coloquemos essas duas crenças no contexto do primeiro século e vejamos o que acontece. Como se sabe muito bem, os judeus no tempo de Jesus viviam, havia vários séculos, sob domínio estrangeiro. O pior aspecto dessa situação não era a pesada tributação, as leis estrangeiras, a brutalidade da opressão e assim por diante, por mais horrível que tudo isso fosse. O pior aspecto era que os estrangeiros eram pagãos. Se Israel era verdadeiramente povo de Deus, como podia estar debaixo de governo pagão? Se Israel havia sido chamado para ser a verdadeira humanidade de Deus, certamente essas nações estrangeiras eram semelhantes aos animais sobre os quais Adão e Eva deviam exercer domínio. Por que, então, as nações estavam se transformando em monstros e ameaçando pisotear o indefeso povo escolhido de Deus? Essa situação persistia desde que os babilônios tinham invadido e destruído Jerusalém em 597 a.C. e levado os habitantes da Judeia cativos para o exílio. Embora alguns deles houvessem regressado do exílio *geográfico*, a maioria acreditava que ainda estivesse em exílio *teológico*. Os judeus viviam em um drama que se arrastava havia séculos, ainda à espera da reviravolta na história que finalmente lhes daria vitória.[1]

A situação política local não era melhor. Judeus zelosos consideravam de longa data que seus governantes locais eram contemporizadores, e os líderes judeus do tempo de Jesus se encaixavam com precisão nessa categoria. Os poderosos principais sacerdotes eram pseudoaristocratas ricos que manipulavam o sistema e tiravam dele tudo o que podiam. Herodes Antipas (o Herodes da maior parte do texto dos Evangelhos, e não seu pai, Herodes, o Grande) era um tirano controlado por Roma que só buscava riqueza e engrandecimento próprio. E a frustração do povo com o governo geral de Roma e o governo local dos sacerdotes e de Herodes uniu aquilo que jamais devemos separar se desejamos ser fiéis ao testemunho bíblico: religião e política, coisas que dizem respeito a Deus e à organização da sociedade. Quando os judeus ansiavam pelo reino de Deus, não estavam pensando em como garantir para si um lugar no céu depois que morressem. A expressão "reino dos céus", que encontramos com frequência no Evangelho de Mateus em passagens nas quais os outros Evangelhos trazem "reino de Deus", não se refere a um lugar chamado "céu", para o qual o povo de Deus irá depois da morte. Refere-se ao governo exercido pelo céu, isto é, por Deus, no mundo presente. "Venha o teu reino", disse Jesus, "seja feita a tua vontade, *assim na terra como nos céus*." Os contemporâneos de Jesus sabiam que era intenção do Deus criador trazer justiça e paz ao mundo aqui e agora. Restava saber como, quando e por meio de quem.

Com certa simplificação excessiva, podemos identificar facilmente as três opções disponíveis para os judeus no tempo de Jesus. Se você descer o vale do Jordão, de Jericó a Massada, encontrará vestígios das três. Em primeiro lugar, a opção quietista e, em última análise, dualista adotada pelos escritores dos Manuscritos do mar Morto em Qumran: separe-se do mundo perverso e espere até que Deus faça seja lá o que for que ele há de fazer. Segundo, a opção contemporizadora adotada por Herodes: construa para si fortalezas e palácios, entenda-se com seus superiores políticos da melhor maneira possível, beneficie-se das circunstâncias ao máximo e espere que, de algum modo, Deus valide tudo isso. Terceiro, a opção fanática dos sicários que assumiram o controle do antigo palácio/fortaleza de Herodes em Massada durante a guerra judaico-romana: ore, afie sua espada, consagre-se para lutar em uma guerra santa, e Deus lhe dará vitória militar, que também será a vitória teológica do bem sobre o mal, de Deus sobre as hostes das trevas, do Filho do Homem sobre os monstros.

Somente ao colocar Jesus nesse contexto percebemos como sua vocação e suas prioridades eram impressionantes e dramáticas. Ele não era quietista, nem contemporizador, nem fanático. Em sua profunda consciência daquele que ele chamava "Aba, Pai", em fé e oração repletas de amor, ele voltou às Escrituras de Israel e encontrou ali outro modelo de reino, igualmente ou ainda mais judaico. É esse modelo que exploraremos a seguir. Jesus disse que o reino de Deus estava próximo. Em outras palavras, Deus estava revelando seu plano antiquíssimo e exercendo sua soberania sobre Israel e sobre o mundo como era sua intenção desde o princípio, trazendo justiça e misericórdia para Israel e para o mundo. E, ao que parece, Deus o estava fazendo por meio de Jesus. O que isso significava?

O plano de Deus é revelado

Durante toda a breve carreira pública de Jesus, ele falou e agiu como se o plano de salvação e de justiça de Deus para Israel e para o mundo estivesse sendo revelado por meio de sua presença, sua obra e seu destino. Essa ideia de plano revelado é, também, caracteristicamente judaica, e os contemporâneos de Jesus haviam desenvolvido uma forma complexa de falar a seu respeito. Usavam imagens, muitas vezes chamativas e espetaculares, para falar de coisas que estavam acontecendo no âmbito público, no mundo da política e na sociedade, e para conferir a esses acontecimentos seu significado teológico.

Portanto, em vez de Isaías dizer: "A Babilônia cairá, e será como um colapso cósmico", ele diz: "As estrelas deixarão de brilhar. O sol estará escuro ao nascer, e a lua não iluminará" (Is 13.10). A Bíblia judaica é repleta de linguagem desse tipo, que costuma ser chamada "apocalíptica", e seria errado imaginar que o objetivo era que tudo fosse entendido de forma literal. Como observei, essa era uma forma de *descrever* o que chamaríamos de acontecimentos no espaço e no tempo e lhes *conferir* sua *relevância* teológica ou cósmica. De modo geral, os judeus da época de Jesus não esperavam que esse universo de espaço e tempo fosse chegar ao fim. Esperavam que Deus fosse agir de forma dramática dentro desse universo de espaço e tempo, como havia feito antes em momentos decisivos como o êxodo, e a única linguagem apropriada seria a linguagem de um mundo que se desintegra e renasce.[2]

Jesus herdou essa tradição e se apropriou dela de uma forma específica. Contou histórias cujas dimensões abriam a cosmovisão de seus ouvintes e os obrigavam a aceitar a realidade do irrompimento de Deus em seu meio, fazendo o que eles haviam almejado que ele fizesse, mas de maneiras tão surpreendentes que quase não eram reconhecíveis. As parábolas são o comentário de Jesus sobre uma crise, a crise enfrentada por Israel e, mais especificamente, a crise provocada pela própria presença e obra de Jesus.

Jesus não era, primeiramente, "mestre" no sentido que usamos o termo hoje. Jesus *fazia* coisas e, depois, comentava e explicava o que havia feito e desafiava as pessoas a procurar compreender o significado dessas coisas. Agia de forma prática e simbólica, especialmente por meio de suas obras de cura que, hoje em dia, só os céticos mais extremados não consideram históricas em princípio. Especificamente, ele agia e falava de tal modo que levava as pessoas, quase de imediato, a considerá-lo profeta. Embora, como veremos, Jesus se considerasse mais que profeta, foi um papel que ele adotou no início de sua carreira pública, ao desenvolver seu ministério a partir do trabalho profético de João Batista. Ele desejava ser percebido (e o era) como profeta que anunciava o reino de Deus.

No entanto, como muitos profetas do Israel de outrora, ao assumir esse posicionamento, ele confrontou outros sonhos de reino e outras visões de reino. Se sua forma de fazer vir o reino era a forma correta, então a forma de Herodes não era, a forma de Qumran não era, e a forma dos zelotes não era. E os fariseus, que no tempo de Jesus estavam mais próximos do extremo ocupado pelos zelotes nessa escala, certamente o consideravam um contemporizador perigoso.[3] Veremos os resultados disso no capítulo seguinte. Deixe-me apresentar sucintamente, então, as principais tônicas da mensagem do reino anunciada por Jesus, divididas nestes três itens: o fim do exílio, o chamado do povo renovado e a advertência de calamidade e vitória por vir.

O fim do exílio

Jesus se lançou a uma carreira pública de iniciação do reino. Seu movimento começou com o batismo de João, que deve ter sido interpretado como uma dramatização codificada do êxodo, dando a forte impressão de que o novo êxodo, a volta do exílio, estava prestes a ocorrer. No entanto, Jesus logo se tornou mais conhecido por curar que por batizar. E foram essas curas extraordinárias, quase certamente, que chamaram a atenção do povo. Ele não era um mestre que também realizava curas; era um profeta do reino que dramatizava e depois explicava esse reino. Portanto, tomo as curas por certo e passo de imediato para as explicações.

As parábolas de Jesus não eram apenas narrativas perspicazes a respeito da vida e das motivações humanas. Não eram simplesmente ilustrações pueris, histórias terrenas com significados celestiais. Repetidamente, são arraigadas nas Escrituras judaicas, nas histórias judaicas contadas e recontadas oficialmente e informalmente. Poderíamos nos demorar nesse assunto, mas temos espaço aqui apenas para olhar de relance duas das parábolas mais lembradas e propor para elas dimensões que talvez sejam menos conhecidas.

Começo com a parábola do semeador em Marcos 4.1-20 e seus paralelos.[4] Essa parábola não é apenas um comentário irônico sobre como muitos ouvem o evangelho e não atendem devidamente. Também não é apenas uma ilustração trivial extraída de práticas agrícolas da Galileia. É uma história tipicamente judaica sobre como o reino de Deus estava se aproximando. Nela há duas raízes específicas que nos ajudam a explicar os objetivos de Jesus.

Em primeiro lugar, ela é arraigada na linguagem profética do regresso do exílio. Jeremias e outros profetas falaram que Deus "semearia" seu povo novamente em sua terra. Os salmos, exatamente no ponto em que celebram a volta do exílio e, ao mesmo tempo, oram para que ela se complete, falavam daqueles que semeiam com lágrimas e colhem com gritos de alegria. Acima de tudo, porém, Isaías usou a imagem de semear e colher como metáfora norteadora para a grande obra de nova criação que Deus realizaria depois do exílio. "O capim seca e as flores murcham, mas a palavra de nosso Deus permanece para sempre." "A chuva e a neve descem dos céus e na terra permanecem até regá-la [...]. O mesmo acontece à minha palavra: eu a envio, e ela sempre produz frutos." Novas plantas, novos arbustos, brotariam diante do povo em sua volta do exílio (Is 40.8; 55.10-11,13). Tudo isso remete ao relato do chamado de Isaías no capítulo 6, em que o profeta vê Israel como uma árvore cortada em decorrência de julgamento e cujo toco é queimado; contudo, a semente santa é o toco, e do toco virão novos brotos (Is 6.9-13; cf. 10.33—11.1).

É essa última passagem, Isaías 6.9-13, que Jesus cita em Mateus 13.14-15, Marcos 4.12 e Lucas 8.10 ao explicar a parábola do semeador (ver tb. Jo 12.40; At 28.26-27). A parábola trata daquilo que Deus estava realizando no ministério de Jesus. Deus não estava simplesmente reforçando Israel em sua presente condição. Não estava endossando suas ambições nacionais, seu orgulho étnico. Estava fazendo algo acerca do que os profetas haviam advertido repetidamente: estava julgando Israel por sua idolatria e, ao mesmo tempo, chamando-o a ser um povo renovado, um novo Israel, um povo de Deus de volta do exílio.

A segunda raiz veterotestamentária da parábola do semeador é a tradição de narrativas apocalípticas que encontramos, por exemplo, em Daniel. No segundo capítulo de Daniel, Nabucodonosor sonha com uma grande estátua feita de quatro metais, com ouro na parte superior e uma mistura de ferro e barro na parte inferior. A estátua é demolida e os pés de barro são esmagados por uma pedra cortada de um monte que, por sua vez, se torna um monte que enche toda a terra. Também em Daniel 7, as quatro bestas guerreiam contra uma figura humana, alguém semelhante a um filho do homem, até que Deus se senta para julgar e o filho do homem é exaltado sobre as bestas. Da mesma forma, de acordo com Jesus, a história do povo de Deus está sendo resumida e recapitulada em sua obra. Algumas sementes caem à beira do caminho; outras caem em solo rochoso; outras caem entre espinhos. Algumas sementes, porém, caem em solo fértil e produzem frutos trinta, sessenta e até cem vezes mais que a quantidade semeada. Jesus está dizendo que o reino de Deus, a volta do exílio, o grande ápice da história de Israel, está aqui, embora não tenha a aparência imaginada. A parábola em si é uma parábola sobre parábolas e seu efeito: essa é a única forma de relatar a verdade espetacular e, como efeito, alguns olharão e nunca enxergarão, enquanto outros verão o mistério ser repentinamente revelado e perceberão o que Deus está fazendo.

A segunda parábola que abre uma janela dramática para o reino de Deus é a que chamamos parábola do filho pródigo, em Lucas 15.[5] Entre as dezenas de coisas que as pessoas costumam dizer, com frequência corretamente, a respeito dessa parábola, uma passa despercebida de quase todos, embora eu proponha que fosse absolutamente óbvia para a maioria dos ouvintes judeus do primeiro século. A história de um filho mais jovem sem caráter que vai para um país pagão distante e, depois, é acolhido de volta em seu lar de forma espantosa é — obviamente! — uma narrativa de exílio e restauração. Era a narrativa que os contemporâneos de Jesus desejavam ouvir. E Jesus lhes contou essa história para mostrar que *a volta do exílio estava acontecendo na obra dele e por meio dessa obra*. A parábola não era apenas uma ilustração geral da verdade perene do perdão oferecido por Deus ao pecador, ainda que, por certo, possa ser entendida dessa forma. Era uma mensagem incisiva, específica para seu contexto, acerca do que estava acontecendo no ministério de Jesus. De modo mais exato, tratava do que estava acontecendo enquanto Jesus acolhia excluídos e comia com pecadores.

Essa narrativa também tem um lado sombrio. O irmão mais velho representa aqueles que se opõem ao regresso do exílio enquanto ele está em andamento: no presente caso, os fariseus e mestres da lei que consideram escandaloso aquilo que Jesus está fazendo. Jesus afirma que, em seu ministério e por meio dele, o regresso tão esperado está acontecendo, embora não se pareça com o que as pessoas imaginavam. A volta está acontecendo debaixo do nariz daqueles que se declararam guardiões das tradições ancestrais de Israel, e eles permanecem cegos para esse acontecimento, pois ele não se conforma a suas expectativas.

Nessas duas parábolas, e de muitas outras maneiras, Jesus estava anunciando enigmaticamente que o momento tão esperado havia chegado. Essas eram as boas-novas, o *euangelion*. Não deve nos surpreender que, ao anunciar as boas-novas, Jesus tenha continuado a se deslocar de uma vila para outra e, até onde sabemos, tenha se mantido afastado de Séforis e Tiberíades, as duas maiores cidades da Galileia. Ele era menos parecido com um pastor itinerante que pregava sermões, ou com um filósofo itinerante que oferecia máximas, e mais semelhante a um político que reunia o apoio necessário para um movimento novo e extremamente arriscado. Por isso, escolheu explicar suas ações por meio da citação de Isaías: alguns teriam de olhar sem conseguir enxergar, pois, do contrário, a polícia secreta seria alertada. Como observamos anteriormente, não devemos imaginar que a política podia ser separada da teologia. Jesus agiu com base na crença de que era dessa maneira que o Deus de Israel estava se tornando Rei.

Ao longo do ministério de Jesus, ele procurou reunir apoio para esse movimento do reino. Chamou para si um povo renovado. Esse é o segundo aspecto da proclamação do reino que precisamos estudar.

O chamado do povo renovado

Quando Jesus anunciava o reino, as histórias que ele contava eram como peças teatrais em busca de atores. Seus ouvintes eram convidados a participar de audições para papéis no reino. Haviam se mostrado ansiosos para que o drama do reino fosse encenado, e aguardavam indicações do que teriam de fazer quando isso ocorresse. Estavam prestes a descobrir. Eles próprios deviam se tornar pessoas do reino. Jesus, depois de João Batista, estava fazendo vir a existir aquilo que ele acreditava que se concretizaria: o povo renovado de Deus.

De acordo com o relato dos Evangelhos, o desafio inicial feito por Jesus foi para que as pessoas se "arrependessem e cressem". Esse é um exemplo clássico, que mencionei no capítulo anterior, de uma expressão cujo significado mudou ao longo dos anos. Se eu saísse pelas ruas de minha cidade e anunciasse que as pessoas devem se "arrepender e crer", elas ouviriam uma exortação para que abandonassem seus pecados pessoais (é de se suspeitar que, em nossa cultura, conduta sexual indevida e consumo exagerado de bebidas alcoólicas logo viessem à mente) e adotassem algum tipo de religião, ao experimentar uma nova impressão interior da presença de Deus, ao crer em um conjunto de dogmas, ou ao se afiliar à igreja ou a alguma de suas subdivisões. Contudo, esse não era, de maneira nenhuma, o significado exato da expressão "arrepender-se e crer" na Galileia do primeiro século.

Como desaprender nossos significados para essa expressão e ouvi-la com ouvidos do primeiro século? Pode ser de alguma ajuda encontrar outro autor que tenha usado essa expressão por volta da mesma região e da mesma época de Jesus. Considere, por exemplo, Josefo, aristocrata e historiador judeu que nasceu apenas alguns anos depois da crucificação de Jesus e que foi enviado, em 66 d.C., quando era jovem comandante do exército, para tratar dos movimentos rebeldes na Galileia. Sua tarefa, como ele a descreve em sua autobiografia,[6] consistia em persuadir os galileus esquentados a refrear seu ímpeto ensandecido de se rebelar contra Roma e confiar que ele e os outros aristocratas de Jerusalém negociariam um *modus vivendi* melhor. Ao confrontar o líder rebelde, portanto, Josefo diz que lhe pediu que abrisse mão de seus objetivos e confiasse nele. E as palavras que Josefo usa são espantosamente conhecidas dos leitores dos Evangelhos; ele disse ao líder da brigada: "Arrependa-se e creia em mim", *metanoesein kai pistos emoi genesesthai*.

Obviamente, isso não significa que Josefo exortou o líder da brigada (cujo nome, "Jesus", pode causar confusão) a abandonar seus pecados e ter uma experiência de conversão religiosa. Essa expressão tem um significado muito mais específico e, aliás, político. Proponho que, ao observar Jesus de Nazaré percorrer a Galileia quarenta anos antes e dizer às pessoas que se arrependessem e cressem nele e no evangelho, não devemos deixar de fora esses significados. Mesmo que, no fim das contas, indiquemos que Jesus tinha em mente algo mais que Josefo — que havia, de fato, dimensões religiosas e teológicas em seu convite —, não podemos supor que tivesse em mente menos que isso. Jesus estava exortando seus ouvintes a abrir mão de seus objetivos e confiar na maneira dele de ser Israel, na maneira que ele concretizaria o reino; estava pedindo que adotassem os objetivos do reino. De modo específico, estava instando com eles, como fez Josefo, para que abrissem mão de seus sonhos ensandecidos de revolução nacionalista. Mas, enquanto Josefo se opôs a uma revolução armada porque era um aristocrata que buscava os próprios interesses, Jesus se opôs a essa revolução porque, de sua perspectiva, paradoxalmente, era uma expressão de profunda deslealdade ao Deus de Israel e a seu propósito para Israel, a saber, que fosse luz para o mundo. E, enquanto Josefo ofereceu como objetivo alternativo algo que deve ter parecido transigência, uma solução política precária grudada com fita adesiva, Jesus ofereceu como objetivo alternativo uma forma absolutamente arriscada de ser Israel, ao dar a outra face e andar a segunda milha, ao entregar a vida para ganhá-la. Esse era o convite do reino que Jesus anunciava. Essa era a peça teatral para a qual Jesus estava realizando audições para os papéis.

Esse convite radical era acompanhado de acolhimento radical. Por onde Jesus passava, parecia haver comemoração; a tradição de refeições festivas, nas quais Jesus recebia todos que apareciam, é uma das características mais firmemente estabelecidas de quase todos os retratos acadêmicos recentes. E o motivo pelo qual alguns dos contemporâneos de Jesus consideravam essas refeições tão ofensivas não é difícil de encontrar (embora nem sempre seja compreendido). Não era apenas uma questão de Jesus, como indivíduo, interagir com pessoas de reputação duvidosa; isso não teria causado séria ofensa. Era porque ele interagia com elas *como profeta do reino* e porque fazia dessas refeições em que todos eram recebidos de braços abertos uma característica central de seu programa. As refeições expressavam de modo poderoso como Jesus via o reino; a mensagem que elas transmitiam subvertia os objetivos de outros reinos. O acolhimento por Jesus representava aceitação e perdão divinos radicais; enquanto os contemporâneos de Jesus enxergavam o perdão e o recomeço concedidos por Deus pelas lentes do templo e de seus rituais, Jesus oferecia perdão com base em sua própria autoridade, sem exigir nenhuma interação oficial com Jerusalém. (A exceção comprova a regra: quando Jesus curou um leproso e o instruiu a procurar o sacerdote para fazer a oferta definida pela lei, estava em questão, evidentemente, a necessidade de o leproso receber um atestado de saúde a fim de poder ser readmitido em sua comunidade [Mc 1.44].)

Os que atenderam ao chamado de Jesus para fazer uma audição para papéis na peça do reino que Deus estava encenando por meio de Jesus, depararam com um desafio. Desde o início da vida da igreja, cristãos deixaram que esse desafio fosse entendido como um novo livro de regras, como se sua intenção fosse apenas oferecer um novo código de moralidade. Essa ideia se tornou problemática especialmente dentro da tradição da Reforma, em que se tem forte consciência do perigo de colocar as "boas obras" humanas logicamente antes da fé para a justificação. Mas não era isso que estava em questão. Os contemporâneos de Jesus já aderiam a um padrão de moralidade capaz de concorrer com qualquer outro e superar a maioria. Em nenhum momento, nem eles nem Jesus partiram do pressuposto de que seu comportamento fosse o que os recomendava para Deus; para eles, e para Jesus, o comportamento era aquilo que devia vir depois da iniciativa e da aliança de Deus. Essas discussões teológicas cheias de ansiedade não enxergam o cerne da questão. O mais importante era que o irrompimento do reino anunciado por Jesus criava um novo mundo, um novo contexto, e Jesus desafiava seus ouvintes a se tornar as novas pessoas que esse novo contexto exigia, cidadãos desse novo mundo. Ele oferecia a seus contemporâneos o desafio de um modo de vida, um caminho de perdão e oração, um caminho de jubileu, que eles podiam pôr em prática em suas vilas, exatamente onde estavam.

Proponho que esse é o contexto dentro do qual devemos entender aquilo que chamamos de Sermão do Monte (Mt 5—7), embora não tenhamos espaço para tratar dele em detalhes aqui. O Sermão (quer tenha sido pronunciado por Jesus de uma só vez quer não, certamente representa de forma substancial o desafio feito por ele a seus contemporâneos) não é, primeira e prioritariamente, uma mensagem pessoal para que indivíduos encontrem a salvação em Jesus, ainda que, obviamente, inclua essa mensagem de modo mais amplo. Também não é simplesmente um excelente código moral (embora, por certo, traga alguns exemplos brilhantes de sólidos preceitos morais). O Sermão faz sentido porque depende inteiramente da proclamação do reino por Jesus e do fato de que o próprio Jesus, por meio de sua proclamação, estava chamando pessoas a segui-lo em um novo modo de vida, o modo do reino.

O Sermão é, especificamente, um desafio para encontrar uma forma de ser Israel diferente da forma revolucionária habitual. "Não resistam ao mal", "Deem a outra face", "Andem a segunda milha": esses não são convites para ser capachos por amor a Jesus, mas constituem uma advertência para não se envolver no movimento sempre presente de resistência. Antes, os ouvintes de Jesus devem redescobrir a verdadeira vocação de Israel: ser luz para o mundo e sal da terra. A cidade no alto do monte que não pode ser escondida é, obviamente, Jerusalém, projetada para ser o lugar em que o único Deus verdadeiro se revelará a toda a humanidade. No centro de Jerusalém, contudo, está o templo, a casa construída sobre a rocha. O Sermão termina com uma advertência codificada, mas incisiva. O verdadeiro novo templo, a verdadeira casa sobre a rocha, consistirá na comunidade que edifica sua vida sobre as palavras de Jesus. Todas as outras tentativas de criar um novo Israel, um novo templo (lembre-se de que o templo de Herodes ainda estava sendo concluído na época de Jesus), uma comunidade pura ou revolucionária, seriam como construir uma casa sobre a areia. Quando viessem os ventos e as tempestades, ela desabaria com um grande estrondo. Jesus estava chamando seus ouvintes a participar do novo drama de Deus, da magnífica encenação em que Israel cumpriria, finalmente, sua vocação antiga de ser a luz do mundo. Esse seria o caminho de verdadeiro amor e justiça por meio do qual o Deus de Israel seria revelado para o mundo ao redor.

Muitos ouvintes de Jesus não tinham condições de acompanhá-lo em suas viagens, mas vários outros foram convocados a fazê-lo. Além do círculo mais próximo de doze — número fortemente simbólico que apontava de forma inequívoca para a intenção de Jesus de reconstituir Israel em torno de si —, houve muitos que ele chamou para deixar tudo e segui-lo. Comissionou alguns para participar de seu trabalho de proclamar o reino, o que incluía as ações, as curas e a comunhão ao redor da mesa que, como veremos adiante, transformavam a proclamação em práxis simbólica. Tomar a cruz e seguir Jesus significava atender à vocação extremamente arriscada de Jesus: ser luz para o mundo de uma forma que os revolucionários jamais haviam sonhado. Era um chamado para seguir Jesus rumo a perigo político e morte provável, confiantes de que, por esse meio, o Deus de Israel conduziria Israel em suas tribulações presentes até o novo dia que estava para raiar.

Se, portanto, Jesus estava corporificando e proclamando a reconstituição do povo de Deus e sua nova direção no grande ponto de mudança da história, e convocando outros a participar desses acontecimentos, o mundo de pensamento dentro do qual ele vivia também indicava que era sua expectativa que esse processo causasse uma grande reviravolta na vida das nações não judaicas. Quando o Deus de Israel finalmente faz por Israel aquilo que ele prometeu, então, em boa parte do pensamento judaico, os efeitos se propagam e alcançam todo o mundo. Em muitos textos do Antigo Testamento (p. ex., Is 42), o Rei vindouro traria a justiça de Deus não apenas a Israel, mas a todo o mundo. Jesus declarou que muitos virão do leste e do oeste e se assentarão com os patriarcas no reino de Deus. Jesus não parece ter dito muito mais sobre esse assunto. (Esse fato é, em si mesmo, sinal interessante de que, apesar do que dizem muitos estudos acadêmicos atuais, os escritores dos Evangelhos não se consideraram autorizados a inventar novos pronunciamentos de toda espécie, que conviessem a suas circunstâncias, e colocá-los nos lábios de Jesus; a igreja estava plenamente envolvida com a missão aos gentios e seus respectivos problemas, mas esse fato mal transparece nos Evangelhos.) Tudo indica que Jesus tinha consciência de uma vocação para concentrar seu trabalho acentuadamente em Israel; uma vez que essa obra decisiva tivesse sido realizada, o convite do reino poderia ser feito de modo bem mais amplo; contudo, ainda não era chegada a hora.[7]

O que, então, Jesus imaginou que aconteceria? Como essa proclamação do reino chegaria a seu momento decisivo e culminante?

Desastre e vitória

Até aqui, desenvolvi o argumento de que a proclamação do reino por Jesus consistia em anunciar e reencenar a narrativa que seus contemporâneos ansiavam ouvir, mas com uma nuança radicalmente distinta. O reino estava próximo, aliás, estava chegando em seu ministério e por meio dele; contudo, não se pareceria com aquilo que eles haviam esperado. Na seção final deste capítulo, quero destacar a conclusão da história, como estava sendo narrada por Jesus.

Ele e seus contemporâneos viviam dentro de uma narrativa central, um relato momentoso das Escrituras por meio do qual os enigmas de sua época podiam ser discernidos (embora de que forma isso devia ser feito e quais poderiam ser os resultados de fazê-lo fossem, obviamente, motivos de acirrada controvérsia). A narrativa central era, com frequência, articulada como novo êxodo: quando os "Egitos" da época, e especialmente seus faraós, se levantassem contra o povo de Deus, o Senhor livraria Israel por meio de atos poderosos dentro da história, conduziria seu povo em meio a grandes tribulações e, por fim, lhe daria vitória. Por vezes, essa narrativa era articulada de forma apocalíptica: a crise com a Síria no início do segundo século a.C., por exemplo, levou a história a ser contada novamente. Nessa narrativa, o ditador megalomaníaco Antíoco Epifânio desempenhava o papel de faraó, e (pelo menos em alguns relatos) os guerreiros macabeus da resistência desempenhavam o papel de valentes israelitas que lutaram para que os escravos fossem libertos. Os sírios eram os monstros; os israelitas eram os seres humanos ameaçados, cercados de conflitos, mas prestes a receber vitória. Os contemporâneos de Jesus não tinham dificuldade de reaplicar essas narrativas e essas imagens a sua época. As histórias que antes falavam do Egito, da Babilônia e da Síria, agora tinham Roma como foco.

Jesus se posicionou firmemente contra a forma de recontar a história que havia se tornado costumeira em seus dias. O propósito de Deus, no fim das contas, não era dar vitória a Israel como nação sobre as hostes pagãs e vencer a batalha teológica com poderio militar. Pelo contrário: Jesus anunciou de forma cada vez mais clara que o julgamento de Deus não viria sobre as nações vizinhas, mas sobre Israel, que não tinha sido luz do mundo. Quem, então, sairia vitorioso do grande desastre por vir? A resposta é dada com clareza e força crescentes: o próprio Jesus e seus seguidores. Eles eram, agora, o verdadeiro Israel reconstituído. Passariam por sofrimento terrível, mas Deus lhes daria vitória.

Parte considerável do conteúdo de Mateus, Marcos e Lucas é dedicada a advertências sobre um grande julgamento vindouro. Desde o início, cristãos aplicam esse conteúdo à questão do que acontece com os seres humanos depois de sua morte e do que acontecerá com o mundo como um todo no grande juízo final que virá no fim da história. Quando lemos essas passagens em seu contexto do primeiro século, porém, surge uma imagem um tanto diferente. As advertências feitas por Jesus, como aquelas feitas pelos grandes profetas que o antecederam, eram advertências de julgamentos vindouros de YHWH *dentro da história*; como Jeremias, Jesus profetizou a queda de Jerusalém. Jeremias viu a Babilônia como agente usado por Deus para castigar seu povo rebelde; Jesus parece ter colocado Roma nesse mesmo papel. E o julgamento viria não como "castigo" arbitrário aplicado por Deus em razão da desobediência de Israel a alguns padrões morais gerais, mas como resultado inevitável (não que sua inevitabilidade significasse que Deus não estava envolvido nele) de Israel ter escolhido o caminho da violência, o caminho da resistência, em vez de seguir o caminho que Jesus havia adotado e articulado em sua vida e mensagem. Se não seguissem o caminho da paz, sofreriam as consequências.

Eis alguns exemplos óbvios. Em Lucas 13, os seguidores de Jesus lhe falam de alguns galileus que Pilatos tinha mandado matar no santuário. A resposta de Jesus é interessante: Vocês imaginam que esses galileus eram pecadores piores que todos os outros? Não, mas a menos que vocês se arrependam, também perecerão. E quanto aos dezoito sobre os quais a torre de Siloé desabou, provocando sua morte? Eram pecadores piores que todos os outros na região de Jerusalém? Não, mas a menos que vocês se arrependam, perecerão. Essa não é uma advertência sobre fritar no inferno depois da morte. É uma advertência de que, se Israel não se arrepender de seu presente curso em direção a uma rebelião nacional contra Roma, espadas romanas no templo e desabamentos de edifícios de alvenaria por toda a Jerusalém se tornarão os meios de julgamento.

As advertências chegam a seu ponto culminante quando Jesus entra em Jerusalém montado em um jumento e se desfaz em lágrimas (Lc 19.41-44). "Como eu gostaria que hoje você compreendesse o caminho para a paz!", disse aos prantos. "Agora, porém, isso está oculto a seus olhos. Chegará o tempo em que seus inimigos construirão rampas para atacar seus muros e a rodearão e apertarão o cerco por todos os lados. Esmagarão você e seus filhos e não deixarão pedra sobre pedra, pois você não reconheceu que Deus a visitou." Também aqui, não se trata de uma advertência a respeito do julgamento que indivíduos enfrentarão depois da morte; não é nem mesmo, a princípio, o julgamento que, de acordo com a maior parte da tradição cristã, aguarda o mundo todo no final. Antes, é uma advertência solene e trágica a respeito do destino que Jerusalém estava pedindo para si ao recusar o caminho da paz que Jesus havia oferecido. Essas advertências se tornaram bastante específicas. Ao que parece, Jesus se considerava o último profeta na grande sequência; parte de sua mensagem era exatamente de que não haveria outra chance. A geração que se recusou a lhe dar ouvidos seria a geração sobre a qual viria o julgamento.

Essas advertências se encontram reunidas no chamado "Pequeno Apocalipse" de Marcos 13 e seus paralelos em Mateus 24 e Lucas 21. Proponho que o capítulo todo deva ser lido como predição não do fim do mundo, mas da queda de Jerusalém. O mais importante aqui e em outros textos é entender como a linguagem apocalíptica opera. Conforme destaquei anteriormente neste capítulo, a linguagem do sol e da lua que escurecem, e assim por diante, é usada com frequência nas Escrituras para *denotar* transtornos políticos ou sociais importantes — a ascensão e queda de impérios, como dizemos — e para *conotar*, por meio do uso dessa linguagem, a relevância cósmica ou teológica atribuída a esses acontecimentos.

Portanto, a linguagem em Marcos 13 a respeito da vinda do Filho do Homem nas nuvens não deve ser entendida com literalismo rígido, como, obviamente, gerações de estudiosos críticos e cristãos não críticos a entenderam. A linguagem aqui vem de Daniel 7, em que os acontecimentos mencionados são a derrota e o colapso dos grandes impérios que se levantaram contra o povo de Deus, e a vitória do verdadeiro povo de Deus, os santos do Altíssimo. A frase "o Filho do Homem vindo nas nuvens" não seria entendida por um judeu do primeiro século que estudava Daniel em profundidade como uma referência a um ser humano que "desceria" em direção à terra em uma nuvem literal. Seria considerada uma predição de grandes acontecimentos nos quais, e por meio dos quais, Deus daria vitória a todos que faziam parte de seu povo verdadeiro depois do sofrimento deles. "Viriam" não à terra, mas a Deus.

Jesus usou, portanto, temas comuns nas expectativas judaicas do segundo templo de forma radicalmente nova. Pegou conteúdo referente à destruição da Babilônia, ou da Síria, ou de seja lá quem for, e o aplicou a Jerusalém. E redirecionou para si e seus seguidores as predições proféticas de vitória.

Propõe-se, por vezes, que ideias desse tipo são, de algum modo, antijudaicas. Essa é uma avaliação equivocada. Uma das tradições mais nobres, de raízes mais profundas no judaísmo, é a da *crítica interna*. Os fariseus eram extremamente críticos em relação à maioria de seus contemporâneos judeus. Os essênios consideravam que, com exceção deles próprios, todos os judeus estavam rumando para julgamento; haviam transferido para si todas as promessas de vitória e salvação e, ao mesmo tempo, amontoado anátemas sobre todos os outros, o que incluía os fariseus. Isso não significava que os fariseus ou os essênios fossem antijudeus. O outro lado da moeda do acolhimento franco e irrestrito de Jesus a todos era a advertência de que aqueles que não seguissem o caminho pelo qual ele estava conduzindo mostrariam, por essa recusa, compromisso com uma forma de ser judeu que implicava confrontação com a Roma pagã, o que traria sobre eles a grande devastação histórica decorrente dessa confrontação. No entanto, quando viesse a queda de Jerusalém, ela mostraria claramente que o caminho de Jesus era o certo. Essa não seria a única vindicação de Jesus e de sua proclamação do reino, mas era parte central e essencial de sua mensagem. Era um posicionamento característico, ainda que radical, para um judeu do primeiro século.

Conclusão

Podemos resumir, agora, o que vimos até aqui sobre a proclamação do reino por Jesus. Sua forma de contar a história do reino mostrava que o longo exílio de Israel estava, finalmente, terminando. Contudo, essa não devia ser uma boa notícia apenas para todos os judeus, quaisquer que fossem suas atitudes em relação aos objetivos de Jesus. A forma como Jesus contava essa história era extremamente subversiva, com forte polêmica reservada para narrações alternativas da história de Israel. Jesus estava dizendo que seus pronunciamentos defendiam as verdadeiras tradições ancestrais de Israel, e ele condenava aquilo que, a seu ver, eram desvios e corrupção no cerne da vida presente de Israel.

Creio que essa imagem faz bastante sentido da perspectiva histórica. Situa Jesus de forma inteiramente crível no mundo do judaísmo do primeiro século. Sua crítica de seus contemporâneos era interna; sua convocação não era para que abandonassem o judaísmo e experimentassem algo diferente, mas para que se tornassem o verdadeiro povo do único Deus verdadeiro, o povo que havia regressado do exílio. Seu objetivo era ser o meio da reconstituição de Israel por Deus. Ele enfrentaria o mal que havia infectado Israel e trataria dele. Ele seria o meio pelo qual Deus voltaria a Sião. Em resumo, Jesus anunciava o reino de Deus: não a mensagem revolucionária simples dos radicais, mas a mensagem duplamente revolucionária de um reino que subverteria todos os outros objetivos, o que abrangia a ambição revolucionária. Como veremos no capítulo 4, com isso Jesus estava assumindo o papel de Messias e a vocação para o sofrimento redentor. Como veremos no capítulo 5, Jesus estava afirmando que essa era a vocação do próprio Deus de Israel.

Talvez tenhamos a impressão de que há uma grande distância entre o Jesus histórico do primeiro século e nossos trabalhos e vocações, quer profissionais, práticos, acadêmicos ou de qualquer outra espécie. Para concluir este capítulo, quero destacar as duas formas (das quais tratarei em mais detalhes nos dois últimos capítulos) pelas quais os cristãos de hoje podem se apropriar de tudo isso.

Primeiro, tudo o que somos e fazemos como cristãos se baseia naquilo que Jesus realizou de forma singular e definitiva. Podemos viver no reino porque ele deu início ao reino. Uma vez que ele conduziu a história de Deus e de Israel, e portanto de Deus e do universo, a seu ponto culminante planejado, podemos pôr essa obra em prática hoje. E desenvolveremos melhor essa vocação cristã se entendermos o alicerce sobre o qual estamos construindo. A fim de seguir Jesus Cristo, precisamos saber mais sobre o Jesus Cristo que estamos seguindo.

Segundo, o alicerce serve de modelo para a construção como um todo. Aquilo que Jesus foi para Israel, agora a igreja deve ser para o mundo. Tudo o que descobrimos daquilo que Jesus fez e disse dentro do judaísmo de sua época deve ser considerado pela perspectiva do que a igreja deve fazer e ser para o mundo. Se desejamos dar novos contornos a nosso mundo e, talvez até, implementar nele a redenção, esse é o caminho.

3
O desafio dos símbolos

Até aqui, desenvolvi o argumento de que Jesus deve ser situado dentro do judaísmo de sua época no tocante a sua atividade como profeta que anunciava o reino de Deus. De modo mais específico, propus que, para ele, isso significava o verdadeiro regresso do exílio, o regresso que estava ocorrendo em seu ministério e por meio dele. Jesus via essa realidade com sentido duplamente revolucionário, pois fazia frente não apenas a Roma e aos herodianos e, por implicação, ao regime do templo, mas também aos revolucionários comuns. Tudo isso, como indiquei, pode ser visto nas histórias que Jesus contava, tanto nas narrativas completas, isto é, nas parábolas, quanto na narrativa implícita dentro da qual se encontra a proclamação do reino, até mesmo em suas formas mais sucintas, e para a qual ela oferecia o ponto culminante decisivo. No presente capítulo, desejo acrescentar mais detalhes a essa imagem por um ângulo diferente, o da práxis simbólica.

Símbolos são acompanhados de controvérsia. Você pode fazer uma brincadeira com a nacionalidade de alguém, desde que conheça bem a pessoa e ela seja tolerante; mas nem pense em queimar a bandeira do país dela. Pessoas que frequentam a igreja costumam se mostrar bastante tolerantes em relação a doutrinas estranhas e até mesmo a comportamentos esquisitos de seus ministros; mas se o pastor mudar de lugar as flores que enfeitam a igreja, descobrirá o poder que os símbolos têm de suscitar furor. Ao apresentar minha resposta para as duas primeiras perguntas a respeito de Jesus — que lugar ele ocupa no judaísmo do primeiro século e quais eram seus objetivos — também preparo o terreno para responder à pergunta seguinte: Por que Jesus morreu? Mostrarei que, de forma implícita e explícita, Jesus atacou os símbolos que haviam se tornado tradicionais na cosmovisão judaica do segundo templo; Jesus não os considerava problemáticos em si mesmos, mas obsoletos, parte do período antes da vinda do reino, e portanto podiam ser descartados agora que havia raiado o novo dia. Ademais, os símbolos do ministério de Jesus eram extremamente provocativos e indicavam, em todos os aspectos, que Israel, o povo de Deus, estava sendo redefinido em e em torno de Jesus e sua obra.

Antes de entrarmos em detalhes, cabe aqui mais uma observação introdutória a respeito das controvérsias de Jesus. Interpretações tradicionais dos Evangelhos consideram Jesus o mestre de uma religião de amor e graça, de observância interior do coração em lugar de observância exterior de códigos legais. Nessas interpretações, Jesus é alvo da oposição dos fariseus porque eles acreditavam em uma religião de lei e observâncias exteriores e não podiam suportar a ideia de perdão, graça e amor gratuitos. Essa imagem, como se tem destacado com frequência cada vez maior nos últimos anos, é fruto, em medida considerável, das controvérsias da Reforma do século 16, em que os protestantes se apresentaram como defensores do amor, da graça e da religião do coração em contraste com os católicos que, a seu ver, propagavam uma religião de lei, mérito e observâncias exteriores; também é fruto da cosmovisão do Iluminismo e/ou do movimento romântico, em que o primeiro enfatiza ideias e o último, sentimentos, ambos em detrimento de coisas materiais e ações exteriores. E. P. Sanders, importante escritor do final do século 20, se opôs de modo específico à interpretação tradicional em razão de sua implausibilidade histórica. De acordo com Sanders, Jesus não "se pronunciou contra a lei", e aquilo que ele parece ter dito provavelmente não era motivo de grande indignação para os fariseus. Sanders afirma que as principais narrativas dos Evangelhos foram inventadas mais tarde pela igreja e refletem suas controvérsias com o judaísmo posterior, e não controvérsias de Jesus com os fariseus.

Há muitas coisas a dizer sobre essa discussão, e tenho espaço aqui para mencionar apenas algumas delas. Para começar, a tradicional crítica da forma aplicada aos Evangelhos exagerou em sua proposta de que os Evangelhos refletem a vida da igreja primitiva, e não a vida de Jesus. Muitas questões de importância fundamental na igreja primitiva não são mencionadas nos Evangelhos (a circuncisão, p. ex., ou o falar em línguas), e muitas questões que avultam em suas narrativas não parecem ter ocupado lugar de grande proeminência na igreja primitiva. Ademais, na verdade não sabemos tanto sobre controvérsias posteriores entre a igreja e os judeus quanto alguns afirmam.

De modo específico, o retrato de Jesus e dos fariseus apresentado por Sanders, cujas ideias se tornaram bastante influentes, não faz jus inteiramente às evidências. Deixe-me resumir quatro pontos principais.[1]

Primeiro, os fariseus não eram, como diz Sanders, um pequeno grupo com sede apenas em Jerusalém. No período em questão com certeza havia vários milhares de fariseus, e há indícios claros de sua atividade na Galileia e em outros lugares.

Segundo, os fariseus desse período não se interessavam apenas por "pureza", quer deles próprios quer de outras pessoas. Todas as evidências indicam que pelo menos a maioria dos fariseus dos períodos asmoneu e herodiano até a guerra de 66–70 d.C. tinha como principal objetivo aquilo que a pureza *representava*: a luta política para manter a identidade judaica e concretizar o sonho de libertação nacional. A maioria dos fariseus até 70 d.C. era adepta da escola do rabino Shamai, cujo rigor lendário nesse período não era apenas uma questão de aplicação pessoal dos códigos de pureza, mas, como vemos no caso de Saulo de Tarso, dizia respeito ao desejo de purificar, limpar e defender a nação do paganismo. Os lenientes adeptos da escola do rabino Hilel, como Gamaliel, que acreditavam na tolerância, só obtiveram supremacia depois que as guerras desastrosas de 66–70 d.C. e 132–135 d.C. destruíram o moral do partido mais rígido.

Terceiro, Sanders está correto de enfatizar que esses fariseus rigorosos não eram uma "polícia ideológica" oficial e que o fato de serem fariseus não significava que ocupassem cargos específicos. Saulo de Tarso teve de obter autoridade dos principais sacerdotes para as investidas contra a igreja primitiva. Contudo, isso não os impedia, como grupo de interesse não oficial e autonomeado, de espionar e denunciar transgressores da lei judaica, da Torá. Em uma passagem da qual Sanders não trata, Fílon diz que havia milhares de indivíduos "cheios de zelo pelas leis, os mais rigorosos guardiões das tradições ancestrais" — expressões que tanto em Fílon quanto em Josefo são codinomes para os fariseus — "que vigiam transgressores e são inclementes com aqueles que subvertem as leis".[2]

Quarto, repetidamente Sanders simplifica a questão de modo excessivo ao perguntar: Jesus se pronunciou contra a lei ou não? No entanto, esse não era o ponto fundamental. Se Jesus tivesse dito simplesmente que a Torá era redundante, seria estranho ver, como foi o caso, a igreja primitiva discutir se a Torá ainda era válida ou não. O que Jesus fez, porém, como Sanders reconhece em outras áreas, mas não aqui, foi anunciar que havia raiado um novo dia, que o reino estava irrompendo no mundo e que, consequentemente, daquele momento em diante, tudo seria diferente. As discussões de Paulo acerca da lei não são simplesmente uma questão de determinar se a lei é válida ou não; dizem respeito às condições para receber os gentios como parte do povo de Deus, e quanto a isso Jesus não disse coisa alguma.

O que importava, então, não era a religião, mas a escatologia; não era a moralidade, mas a vinda do reino. E a vinda do reino, como Jesus a proclamou, apresentava para seus contemporâneos um desafio, um alvo específico: Renunciem sua interpretação da tradição, que os está levando à ruína. Em seu lugar, adotem uma interpretação bem diferente da tradição que, embora pareça um caminho que leva a perdas, na realidade é o caminho para a verdadeira vitória. Proponho que foi esse desafio que, apoiado pela práxis simbólica, gerou as discussões acaloradas entre Jesus e os fariseus e levou às tramas contra a vida de Jesus.

As controvérsias tinham os códigos de pureza como foco importante; contudo, como observamos anteriormente, os códigos de pureza não eram apenas referentes a pureza pessoal, mas, como afirmam os antropólogos sociais, eram símbolos codificados de pureza e de preservação da tribo, família ou raça. Em uma passagem após a outra, autores judeus desse período e, aliás, dos meios acadêmicos judaicos modernos, enfatizam que as leis judaicas não foram criadas para ser uma escada usada por legalistas para alcançar o céu; antes, foram criadas para definir os contornos que distinguiam um povo sitiado. O conflito de Jesus com os fariseus ocorreu não porque Jesus era antinomiano, porque acreditava na justificação pela fé enquanto eles acreditavam na justificação por obras, mas porque *seus objetivos para Israel, definidos pelo reino, exigiam que Israel deixasse de lado sua autodefesa frenética e paranoica, reforçada naquela época pelos códigos ancestrais, e adotasse em seu lugar a vocação de ser luz para o mundo, sal da terra*. Diante disso, proponho que o conflito entre Jesus e seus contemporâneos judeus, especialmente os fariseus, deve ser entendido em relação a diferentes planos políticos gerados por diferentes crenças e expectativas escatológicas. Jesus estava proclamando o reino de uma forma que não reforçava o programa de zelo revolucionário que dominava o horizonte especialmente do grupo predominante dentro do farisaísmo; antes, a proclamação do reino por Jesus lançava dúvidas sobre esse programa. Não é de admirar que ele tenha questionado as fortes ênfases sobre os símbolos que haviam se tornado códigos encenados das aspirações de seus contemporâneos.

Com tudo isso em mente, podemos considerar os principais símbolos do judaísmo desse período e começar a entender por que Jesus fez o que fez em relação a eles.

Jesus e os símbolos do judaísmo

O sábado

Ao tratar das narrativas de controvérsia em torno do sábado (as mais conhecidas estão em Mc 2.23—3.6), volto a discordar de Sanders e seus seguidores. Sanders considera essas narrativas implausíveis, pois, de acordo com ele, os fariseus não se organizavam em grupos que rondavam campos de cereais para surpreender pessoas que cometessem pequenas transgressões. Mais uma vez, porém, Sanders parte de seu posicionamento básico de que Jesus era um profeta da escatologia judaica de restauração. Quando reconhecemos que Jesus era o líder de um movimento que tinha objetivos definidos, objetivos conflitantes com os dos fariseus, é inteiramente plausível que um grupo tenha assumido voluntariamente a responsabilidade de vigiá-lo. Em *Jesus and the Victory of God* eu destaquei, plenamente ciente dos perigos de "paralelos" modernos, que temos em nossa sociedade pessoas que, embora não tenham sido eleitas nem nomeadas para cargos públicos, assumem voluntariamente a responsabilidade de examinar e criticar aqueles que têm uma vida pública, especialmente se suas opiniões não estão na moda. Cheguei a propor que jornalistas — pois, afinal de contas, era a eles que estava me referindo — vão até os confins da terra e se escondem em lugares desconfortáveis de todo tipo, não apenas em campos de cereais da Galileia, para tirar fotos comprometedoras de princesas.³ O que eu não esperava quando escrevi essas palavras em 1996 era que, um ano depois, jornalistas com suas câmeras perseguissem até a morte a princesa mais famosa dos tempos modernos. Se imaginarmos que os fariseus eram uma espécie de "polícia ideológica" religiosa, o retrato dos Evangelhos parece ridículo. Mas se os virmos como um grupo de interesse autonomeado, com seu próprio conjunto claro de objetivos e cheio de suspeitas em relação a movimentos com planos concorrentes, ansioso por mostrar que pessoas com aspirações a visibilidade pública não são melhores que ninguém, faz sentido vê-los não apenas vigiar Jesus, mas também tramar formas de livrar-se dele.

Os focos dessa atividade eram os símbolos tradicionais e as esperanças e aspirações da cultura. Jesus tinha uma bandeira? Era um judeu leal, que observava a Torá? (Cabe lembrar mais uma vez que essa pergunta não significa: ele procurava se justificar por obras, obter o favor de Deus por meio de uma boa moralidade?; antes, significa: ele realizava as ações simbólicas por meio das quais o judeu leal demonstrava gratidão a Deus?) E entre esses símbolos, conhecidos até mesmo entre pagãos relativamente ignorantes, um dos principais era a observância judaica do sábado. Se, nos dias de hoje, existe a possibilidade de ser apedrejado em Jerusalém por andar de carro na parte errada da cidade no sábado, o que nos leva a supor que esse furor não seria suscitado pela mesma questão na Galileia do primeiro século?

Tudo indica que Jesus se comportou com liberdade soberana em relação ao sábado. Ademais, não justificou seu comportamento com o propósito de debelar as suspeitas de que ele tivesse motivações sediciosas. Ao ser questionado, respondeu com um paralelo davídico: Davi, o verdadeiro rei ungido, quando estava fugindo de Saul, comeu do pão da proposição, normalmente proibido. Os fariseus estavam se comportando como Doegue, o edomita, em 1Samuel 21, observando o que Davi estava fazendo e saindo sorrateiramente para informar outros. O Filho do Homem é senhor do sábado: por certo, para muitos essa declaração continuou a ser tão enigmática quanto é para alguns estudiosos de hoje, mas é possível que alguns tenham ouvido por trás do código a asserção de que Jesus era o verdadeiro representante de Israel, ameaçado naquele momento por forças do mal, mas destinado a receber vitória do Deus de Israel.

Os dois relatos no Evangelho de Lucas a respeito da transgressão do sábado enfatizam que o sábado era o dia mais apropriado para realizar curas (Lc 13.10-17; 14.1-6). Era o dia que representava libertação da escravidão e do cativeiro. Nessa perspectiva, Jesus mostrou que o tão esperado sábado de Israel estava irrompendo por meio de seu ministério. O que estava em jogo não era "religião" ou "ética" com sentido abstrato. Era uma questão de escatologia e de prioridades. Jesus declarou a vocação de Israel, a crença em seu Deus, e sua esperança escatológica. Essa vocação, teologia e aspiração, contudo, deviam ser redefinidas em torno de um novo conjunto de símbolos, apropriados para o novo dia que estava raiando.

A alimentação

Podemos desenvolver argumentos semelhantes a respeito do complexo capítulo 7 de Marcos, com paralelo em Mateus 15, em que, entre os pontos em questão, encontramos as leis de pureza e, especificamente, o código alimentar. Como o sábado, o código operava no mundo antigo da mesma forma que opera no mundo moderno, para distinguir o judaísmo de seus vizinhos pagãos. O problema central, mais uma vez, não era o legalismo tacanho, mas a tentativa de averiguar se Jesus era leal aos códigos ancestrais que mantinham Israel separado dos pagãos.

É essencial entender que essa controvérsia não pode ser projetada para o tempo de Marcos, como que para isentar Jesus de responsabilidade. Marcos tem de explicar para seus leitores, no início do capítulo, o que eram as leis para a lavagem das mãos; dificilmente essa explicação seria necessária para uma igreja em que a discussão séria sobre leis alimentares judaicas fosse um tema de grande importância. Essa conclusão é reforçada por um elemento da narrativa que mostra claramente que ela é original. Nesse contexto, Marcos não tinha necessidade nenhuma de fazer segredo das opiniões de Jesus sobre alimento e pureza. No entanto, ele registra que, nesse caso, Jesus seguiu um padrão regular: uma declaração enigmática em público e, depois, uma explicação mais completa em particular (Mc 7.14-23). Se Jesus tivesse dito, no meio da rua, que os tabus dados por Deus que distinguiam os judeus dos pagãos haviam se tornado redundantes, poderia ter começado um grande tumulto. O que ele fez foi marcar de forma enigmática, mas categórica, sua convicção de que, no novo dia que estava raiando, Israel não devia guardar só para si a luz de Deus, mas devia compartilhar essa luz com o mundo.

Nação e terra

Além do sábado e da alimentação, Jesus colocou bombas-relógio ao lado de outros dois símbolos prezados da identidade de Israel. A descendência israelita em comum de Abraão e as proibições para não comer com gentios e não se casar com eles, embora não fossem absolutas em todo o judaísmo desse período, tinham grande força e apresentam atestação sólida o suficiente para deixar claro que alguns pronunciamentos e ações de Jesus seriam considerados extremamente subversivos. A percepção de identidade familiar entre os judeus era um símbolo central e vital, e algumas das declarações mais impressionantes de Jesus parecem solapar essa percepção. "Deixe que os mortos sepultem seus próprios mortos. Você, porém, deve ir e anunciar o reino de Deus" (Lc 9.59-60//Mt 8.21-22). Ignorar o sepultamento do pai ou da mãe é algo problemático em nossa cultura. Na cultura de Jesus, sepultar o pai tinha precedência até sobre a Shemá, a oração repetida três vezes por dia. Jesus declara que anunciar o reino é ainda mais importante. Outro exemplo é: "Quem é minha mãe? Quem são meus irmãos?" (Mc 3.33//Mt 12.48). É difícil imaginar um jovem adulto judeu dizer algo semelhante no contexto moderno ocidental de assimilação cultural; no judaísmo do primeiro século, em que a família e, portanto, a identidade nacional eram de importância suprema, é quase impensável. Jesus disse: "Vim para pôr o homem contra seu pai, a filha contra sua mãe" (Mt 10.35). A fim de herdar a era por vir, é preciso deixar a família. Jesus desafiou seus seguidores a não se apegar demais a um dos principais símbolos da cosmovisão judaica.

Outro desafio associado a esse de modo próximo é a ordem para abandonar os bens materiais. É comum ser entendida como uma espécie de desafio protomonástico, o teste supremo de devoção pessoal. No tempo de Jesus, e, proponho, como era intenção de Jesus, essa ordem tinha uma nuança muito diferente. O bem maior naquela cultura era, evidentemente, a terra; e a terra era outro símbolo central da identidade judaica.

Os desafios à terra e à família aparecem juntos em uma passagem enigmática no final de Lucas 14, com uma advertência dupla que questiona se Israel está preparado para enfrentar a crise prestes a lhe sobrevir. Os judeus trabalham com afinco na construção do templo, mas será que chegarão a concluí-lo? Mostram-se ansiosos para lutar em uma guerra santa, mas será que conseguirão vencê-la? Jesus exorta seus contemporâneos a não se apegarem a coisas que haviam se tornado símbolos inalienáveis de identidade nacional, a fim de que não busquem objetivos que poderiam levá-los a perder tudo.

Essa ideia aponta para o símbolo principal e para a ação principal de Jesus em relação a ele. Refiro-me, evidentemente, ao templo.

O templo

A maioria dos textos contemporâneos a respeito de Jesus focaliza, corretamente, o templo, aquilo que Jesus fez ali e as consequências. Nessa época o templo era, obviamente, a essência e o centro do judaísmo, o símbolo vital ao redor do qual tudo girava. Devia ser o lugar em que o próprio YHWH habitava, ou, pelo menos, o lugar em que ele havia habitado e em que voltaria a habitar. Era o local de sacrifício, em que não apenas os pecados eram perdoados, mas também a união e a comunhão entre Israel e seu Deus eram infindável e incansavelmente consumadas. O templo constituía, especialmente em razão dessas duas coisas, o centro da vida nacional e política de Israel: os principais sacerdotes encarregados dele também eram, junto com a instável dinastia herodiana e sob a supervisão romana, encarregados de todo o Israel como nação.

Além disso, o templo era repleto de nuanças régias. Planejado por Davi, construído por Salomão, restaurado por Ezequias e Josias, sua história antiga era entrelaçada com os dias áureos do início da monarquia. Zorobabel deveria tê-lo reconstruído depois do exílio; por certo, seu insucesso nessa área era ligado de modo próximo a seu insucesso na restauração da monarquia. Judas Macabeu e seus companheiros purificaram o templo depois que os sírios o profanaram e, com isso, fundaram uma dinastia que durou cem anos, embora os macabeus não tivessem nem afirmassem ter ligação com Davi. A reconstrução do templo por Herodes tinha, claramente, a séria intenção de legitimar seu reinado dentro das categorias tradicionais judaicas. Menaém e Simão bar-Giora, dois pretensos Messias na guerra contra Roma (66–70 d.C.), apresentaram-se em público no templo antes de ser mortos, um por judeus rivais e outro por romanos durante o triunfo de Tito. O último grande Messias desse período, Bar-Kochba, ordenou que moedas fossem cunhadas (o que, em si, era um ato de rebelião) com a fachada do templo. Suas intenções de reconstruir o templo e se estabelecer como rei eram claras. Templo e identidade messiânica andavam juntos.

Ao mesmo tempo, muitos judeus reprovavam o templo existente. Os essênios se opunham fortemente à elite dominante da época — na verdade, era isso que os havia levado a formar um grupo separado — e, portanto, ao templo existente, a base de poder de seus rivais. Aguardavam o dia em que um novo templo seria construído e, supostamente, governado por seu grupo. Os fariseus já haviam começado a articular a ideia de que as bênçãos que se costumava receber ao ir ao templo podiam ser recebidas por meio do estudo e da prática da Torá. "Se dois se assentam juntos e estudam a Torá, a Presença Divina repousa entre eles";[4] esse dito rabínico antigo significava que era possível ter em qualquer lugar do mundo o privilégio associado ao templo, a saber, o de estar na presença de Deus. Essa teologia, elaborada especialmente para os judeus na Diáspora, em que a frequência ao templo estava fora de questão, se desenvolveu de forma plena depois de 70 d.C., e podemos dizer que ajudou os sucessores dos fariseus, os rabinos, a sobreviver e se reorganizar depois daquela grande catástrofe. Portanto, embora os fariseus em si não se opusessem ao templo existente, ele já era relativizado em seu pensamento; esse é outro motivo pelo qual examinavam e criticavam Jesus, que também oferecia uma alternativa para o templo.

Alguns judeus faziam uma crítica menos teológica e mais socioeconômica do templo existente. Há evidências sólidas de que, para muitos dos menos favorecidos no judaísmo, o templo representava tudo o que os oprimia: a aristocracia rica e corrupta e suas injustiças sistemáticas. Um sinal dessa atitude foi a abordagem reveladora dos rebeldes durante a guerra; quando assumiram controle do templo, fizeram o equivalente a destruir o computador central de um banco. Queimaram todos os registros de dívidas.

Embora a ação de Jesus no templo deva ser vista, naturalmente, dentro desse contexto mais amplo de desafeição, vai muito além dela e ingressa em outra dimensão. Sua atitude em relação ao templo não era: "Essa instituição precisa de reformas", nem: "Esse lugar é controlado pelas pessoas erradas", tampouco: "É possível a piedade operar em outros lugares também". Sua convicção profunda a respeito do templo era *escatológica*: havia chegado a hora de Deus julgar a instituição toda. O templo havia passado a simbolizar a injustiça que caracterizava a sociedade em seu interior e, em seu exterior, a rejeição da vocação para ser luz do mundo, a cidade sobre o monte que atrairia para si todos os povos do mundo.

Tudo isso forma o contexto para nossa pergunta a respeito do que Jesus fez no templo e do significado pretendido por ele com esse ato. Existe, hoje, toda uma gama de opiniões acerca desse tema, que vão desde aqueles que consideram seu ato uma tentativa de reformar ou purificar o sistema, até aqueles que o consideram uma parábola encenada de destruição. Esta última proposta tem se mostrado, a meu ver, mais produtiva em discussões recentes, mas ainda existe aqui uma ampla divergência de opiniões: se a ação de Jesus foi sinal de julgamento, qual foi a base e qual era a respectiva intenção? Sanders, mais uma vez, apresenta um modelo que se tornou influente: Jesus encenou a destruição do templo porque anteviu que um novo templo seria construído, muito possivelmente, pelo próprio Deus. (Devemos observar que, tanto no judaísmo antigo quanto no moderno, a ideia de que Deus fará algo, o que inclui construir o templo, não é contrastante com a ideia de que seres humanos, entre eles arquitetos e construtores, talvez participem do processo.)

Propus anteriormente que, durante o ministério de Jesus na Galileia, ele agiu e falou como se, em algum sentido, fosse chamado a fazer e ser o que o templo fazia e era. Sua oferta de perdão sem a condição prévia da adoração no templo ou do sacrifício era o equivalente a alguém em nosso mundo emitir, como indivíduo, um passaporte ou uma carteira de motorista. Ele solapou o sistema oficial e declarou, por implicação, que estava instituindo outro sistema. Vimos, também, que boa parte da advertência de Jesus sobre o julgamento iminente era voltada para o templo. Toda a minha argumentação até aqui, aliás, favorece fortemente o entendimento do ato de Jesus no templo como uma parábola encenada de julgamento.

Quando Jesus foi a Jerusalém, a cidade não era grande o suficiente para os dois, por assim dizer. O símbolo central da vida nacional estava ameaçado e, a menos que Israel se arrependesse, ele seria destruído pelos pagãos. Jesus acreditava que o Deus de Israel estava no processo de julgar e redimir seu povo, não apenas como um incidente entre vários outros, mas como ápice da história de Israel. Esse julgamento assumiria a forma de destruição por Roma. Não seria (ao contrário do que diz Sanders) seguido da reconstrução de um novo templo físico. Seria seguido da instituição de uma nova comunidade messiânica, voltada para Jesus, que substituiria o templo de uma vez por todas.

E quanto à acusação: "Vocês o transformaram num esconderijo de ladrões" (Mc 11.17)? Acaso não indica que a principal motivação de Jesus ao atacar o templo era ligada à exploração econômica? Não mostra que seu propósito era purificar o templo, e não representar sua destruição? Aqui, como acontece muitas vezes, o contexto da citação relevante do Antigo Testamento (neste caso, Jr 7.3-15) é de suma importância. Jeremias não estava defendendo uma reforma do templo; estava predizendo sua destruição. O termo grego *lestes*, traduzido aqui por "ladrões", é na verdade o termo comum usado por Josefo para falar de "bandidos" ou "rebeldes". Quando Josefo se refere, como faz duas vezes, a "cavernas de *lestai*",[5] está falando de cavernas literais usadas como esconderijos por revolucionários desesperados.

Esse uso indica que a verdadeira acusação de Jesus contra o templo não era de práticas financeiras inescrupulosas, embora talvez fosse o caso também. Como na época de Jeremias, o templo havia se tornado o ponto focal de nacionalistas ansiosos para se rebelar contra Roma. Embora aqueles que administravam o templo fossem, no parecer dos revolucionários, parte do problema, o templo em si era muito maior; acreditavam que fosse o lugar em que o Deus de Israel havia prometido habitar e em que ele defenderia seu povo de todos os de fora. Como poderia simbolizar, então, como Isaías tinha dito que deveria, o desejo do Deus de Israel de que fosse um farol de esperança e luz para as nações, a cidade no alto do monte que não podia ser escondida? Jesus viu a séria distorção presente da vocação de Israel representada de modo catastrófico nas atitudes daquela época em relação ao templo: a um símbolo que havia sido tão terrivelmente corrompido só restava ser destruído. O monte — supostamente, o monte Sião — seria, figuradamente, arrancado e lançado no mar.

Por que, então, de modo específico, Jesus expulsou os comerciantes dos pátios do templo? Sem o imposto do templo, não era possível fornecer os sacrifícios diários. Sem a moeda certa, os adoradores não podiam comprar animais sacrificiais puros. Sem os animais, os sacrifícios não podiam ser oferecidos. Sem os sacrifícios, o templo perdeu (ainda que, talvez, apenas por uma ou duas horas) sua razão de existir. A ação de Jesus simbolizou sua convicção de que, quando YHWH voltasse a Sião, não habitaria no templo, legitimando aqueles que ministravam ali naquela época e as aspirações nacionalistas associadas a eles e ao templo. Antes, como Josefo percebeu em um contexto semelhante, a cessação dos sacrifícios significava que o Deus de Israel usaria soldados romanos para concretizar no templo o destino resultante de sua própria impureza e de sua sanção à resistência nacionalista. A breve interrupção que Jesus causou nas transações habituais no templo simbolizou a destruição que viria sobre toda a instituição uma geração depois.

O mesmo princípio aplicado ao sábado, ao alimento, à família e à terra valia para o templo. As ações simbólicas realizadas por Jesus e as declarações enigmáticas feitas por ele para explicar essas ações preenchem o retrato que estamos esboçando, um retrato de Jesus como profeta, à semelhança de João Batista ou Jeremias, porém maior que eles. Jesus estava proclamando o reino de Deus almejado por Israel, mas era uma proclamação que advertia sobre julgamento iminente em vez de anunciar salvação iminente. Deixe-me ressaltar mais uma vez: não estou afirmando que Jesus era contrário aos símbolos judaicos porque considerava que fossem problemáticos, ou que não tivessem sido dados por Deus, ou qualquer outra coisa. Ele acreditava que havia chegado a hora de o reino de Deus raiar e, com ele, haviam surgido novos objetivos, diametralmente opostos aos interesses que tinham se apropriado dos símbolos de identidade nacional e que encobriam injustiças de toda espécie. Jesus, ao falar como profeta em nome do Deus de Israel e como seu representante, declarou solenemente em atos e palavras que o juízo divino agora era inevitável. O Deus que havia julgado o templo no passado agora o faria de uma vez por todas.

Símbolos do reino usados por Jesus

Voltamos nossa atenção agora para os símbolos positivos do ministério de Jesus. Como sugeri no capítulo anterior, Jesus fez diversas coisas bastante expressivas de seus propósitos e objetivos (ofereci como exemplo a escolha de doze discípulos). Agora, podemos preencher essa ideia com outros detalhes. Assim como subverteu os símbolos de terra, família, Torá e templo, Jesus também providenciou a substituição desses símbolos ao apontar para seu próprio trabalho e seus objetivos.

Terra e povo

Jesus parecia ter aguçada consciência do simbolismo da localização geográfica (se estamos dispostos a reconhecer que os autores dos Evangelhos pensavam dessa forma, é estranho negar que Jesus também o fizesse). Sua escolha de lugares importantes para ações e declarações importantes — o templo e o monte das Oliveiras são exemplos óbvios — mostra que ele era inteiramente capaz de se apropriar da consciência judaica de geografia simbólica e usá-la para seus propósitos.

No entanto, nos textos bíblicos dos quais Jesus parece ter lançado mão, a restauração da terra (o que, é claro, fazia parte de todo o plano de regresso do exílio) era ligada de modo próximo à restauração de seres humanos quebrantados e feridos. Quando o deserto e a terra estéril eram chamados a se regozijar, como acontece em Isaías 35, era chegada a hora de os olhos dos cegos e os ouvidos dos surdos serem abertos, de os aleijados saltarem como o cervo e de a língua dos mudos cantar. As curas realizadas por Jesus, que constituíram parte central e vital de toda a sua práxis simbólica, não devem ser vistas, como imaginaram alguns dos primeiros pais da igreja, como "provas de sua divindade". As curas não foram, ainda, apenas sinal de sua compaixão por aqueles que têm necessidades físicas, embora, obviamente, também o sejam. Não. As curas foram expressão simbólica da *reconstituição de Israel* por Jesus. Essa ideia fica clara no contraste entre os objetivos de Jesus e os objetivos de Qumran. Leia a chamada Regra Messiânica de Qumran (1QSa). Ali, os cegos, os aleijados, os surdos e os mudos não podem ser membros da comunidade do povo restaurado de Deus. A aplicação rígida — poderíamos até dizer implacável — de certas leis de pureza significava uma comunidade restritiva e exclusiva. A abordagem de Jesus era o oposto. As curas que ele realizou eram sinal de uma prática inclusiva radical, que promovia cura. Não era simplesmente a inclusão de todos de forma moderna, *laissez-faire*, vale-tudo, mas a resolução dos problemas fundamentais a fim de gerar uma comunidade verdadeiramente renovada e restaurada, cuja nova vida simbolizaria e corporificaria o reino do qual Jesus estava falando.

A família

Jesus, por meio de suas ações e palavras, estava formando um povo com uma nova identidade, uma nova família. "Vejam, estes são minha mãe e meus irmãos. Quem faz a vontade de Deus é meu irmão, minha irmã e minha mãe" (Mc 3.34-35). Essa comunidade renovada, uma "família" formada em torno de Jesus, incluía todos, e a única "qualificação" era aceitar Jesus e sua mensagem do reino. Esse fato deu à mensagem de Jesus uma identidade de carne e osso que desafiava, pelo menos por implicação, os grupos que aderiam aos ensinamentos dos fariseus ou dos essênios. À semelhança de um novo partido político que estava se iniciando debaixo do nariz dos partidos já estabelecidos, era inevitável que essa nova família fosse considerada uma ameaça. Contudo, a maneira como Jesus a formou e a celebrou dizia respeito ao novo mundo de Deus que estava se abrindo, trazendo cura e bênção por onde passava. Essa é uma combinação poderosa em um mundo em que poder significava perigo.

A Torá

Junto com a redefinição simbólica do povo de Deus, havia certos símbolos que, no plano de Jesus, parecem ter substituído as práticas da Torá como características definidoras do Israel restaurado. De modo específico, podemos observar o lugar de destaque dado ao perdão no ensino de Jesus. Também aqui, essa ideia não deve ser vista apenas como um desafio ético especialmente difícil. É, primeiro e acima de tudo, uma questão de escatologia. Deixe-me explicar por meio de uma pequena digressão.

Como destaquei anteriormente, no mundo de Jesus os judeus ansiavam pelo verdadeiro fim do exílio. Mas, nos profetas clássicos e em Esdras, Neemias e Daniel, o exílio era visto repetidamente como consequência do pecado de Israel. Quando, portanto, Israel almejava perdão de pecados, esse desejo não deve ser visto apenas de forma individualista, como o desejo de ter uma consciência tranquila. Quando Isaías 40—55 declarou que YHWH trataria de forma definitiva dos pecados de Israel, não havia ambiguidade naquilo que o profeta quis dizer: se o pecado que havia causado o exílio tivesse sido finalmente perdoado, o exílio chegaria ao fim. O perdão de pecados era, desse modo, mais um ângulo ou uma faceta da esperança escatológica. Era, acima de tudo, um acontecimento, e não um estado da mente ou do coração.

A oferta de perdão por Jesus era, portanto, em si mesma, uma forma de dizer que o reino estava chegando em seu ministério e por meio dele. Da mesma forma (e é isso que quero deixar claro aqui), sua *exigência* de perdão mútuo entre seus seguidores não deve ser vista meramente como parte de um programa ético abstrato. Faz parte do que podemos chamar Torá escatológica. Os seguidores de Jesus se caracterizavam pelo fato de que ele estava efetuando o regresso do exílio, o perdão dos pecados. Deixar de perdoar uns aos outros seria uma forma de negar que esse acontecimento magnífico tão esperado estava ocorrendo; em outras palavras, seria como cortar o galho em que estavam sentados.

Proponho que essa é a explicação para as advertências que, de outro modo, parecem extremamente severas segundo as quais aqueles que não perdoam não são perdoados. Se a comunhão com Jesus à mesa substituiu as leis alimentares, sua exigência de perdão fazia parte de sua definição da nova família, do novo povo de Deus. Em outras palavras, fazia parte de sua Torá simbólica redefinida. Como tal, embora não haja espaço para desenvolver essa ideia em mais detalhes aqui, seu devido lugar era no cerne da oração que Jesus deu a seus discípulos, a oração que, como Joachim Jeremias disse cinquenta anos atrás, formava uma parte fundamental da práxis simbólica dos seguidores de Jesus e os definia em contraste com outros movimentos dentro do judaísmo, conferindo-lhes a condição de povo do reino, povo do perdão, verdadeiros filhos e filhas do Deus de Israel.

O templo

Quando deixamos que esses símbolos positivos gerem uma imagem mais ampla das intenções de Jesus, descobrimos mais uma vez que o ponto focal de tudo é o templo. Há vários indícios nos Evangelhos de que Jesus agiu de forma intencional, com o propósito de mostrar que, onde ele estava e onde estavam seus seguidores, o Deus de Israel estava presente e ativo da mesma forma que costumava estar presente no templo. Como ficará claro, isso significava que seus objetivos corriam em paralelo com os objetivos dos fariseus. Alternativas desse tipo são ameaçadoras.

Para começar, considere a questão do jejum. A diferença entre os discípulos de Jesus e os discípulos de João e os fariseus, na breve interação em Marcos 2.18-22, não tem nenhuma ligação com "modelos de religião". A questão não era (como se costuma propor) que os dois grupos que praticavam a observância exterior estavam preocupados apenas com aparências, enquanto Jesus estava interessado no coração. Para os judeus desse período, o jejum não era uma mera disciplina ascética. Era relacionado à condição presente de Israel: o povo ainda estava no exílio. De modo mais específico, dizia respeito à destruição do templo.[6] Zacarias (8.19) havia prometido que os dias de jejum, que lembravam a destruição do templo, seriam transformados em festas; obviamente, porém, isso só poderia ocorrer quando YHWH restaurasse a sorte de Israel e, de modo mais específico, providenciasse para que o templo fosse devidamente reconstruído, um tema de grande interesse para Zacarias, a exemplo de outros profetas "pós-exílicos". Foi isso que Jesus quis dizer quando observou que os convidados do casamento não podiam jejuar enquanto o noivo estava com eles. A festa — o banquete messiânico simbolizado pelas refeições comemorativas de Jesus — estava em pleno andamento, e ninguém quer convidados taciturnos em um casamento. Deus estava realizando o que havia prometido. As grandes bênçãos do fim do exílio, o retorno de YHWH e a reconstrução do templo estavam ocorrendo para aqueles que tinham olhos para ver.

Se, portanto, investigarmos a atitude de Jesus em relação aos símbolos predominantes do judaísmo de sua época e em relação aos símbolos que ele escolheu, veremos que o templo e a Torá dominam a paisagem, como seria de esperar. Em relação a ambos, Jesus se encontrava dentro da nobre tradição de crítica interior. A crítica era mordaz. A apropriação presente de Israel de seus símbolos nacionais estava levando a nação à ruína. Jesus advertiu o povo desse fato do modo mais claro possível e, ao mesmo tempo, convidou todos que desejassem a se arrepender e o acompanhar em seu modo de ser Israel.

Todas as linhas de investigação que segui até aqui voltam o olhar para duas grandes ações simbólicas. Uma já foi estudada, e voltaremos a ela: a crítica por Jesus do sistema de símbolos levou a sua ação no templo. A outra é a seguinte. Se quiséssemos reunir os símbolos positivos do ministério de Jesus e esboçar um só retrato em que todos eles aparecem, uma forma de fazê-lo seria imaginar esse jovem profeta do reino celebrando, com seus doze discípulos mais próximos, a maior de todas as festas de Israel, a festa que falava mais claramente de libertação, êxodo, aliança e perdão. Se os símbolos negativos que representam a crítica feita por Jesus de seus contemporâneos se reúnem em sua ação no templo, os símbolos positivos do ministério de Jesus se reúnem na sala no andar superior. E, com isso, estamos prontos para refletir sobre os temas centrais dos quais nos ocuparemos no capítulo seguinte.

Conclusão

Para concluir, e para resumir os três últimos capítulos, apresento três reflexões sobre o que vimos até aqui.

Em primeiro lugar, tendo em conta tudo o que escrevi, não deve causar surpresa encontrarmos evidências de que uma reação comum a Jesus era imaginar que ele estivesse "fazendo o povo se desviar". O judaísmo contava com categorias claras para pessoas que surgiam com ensinamentos alternativos e realizavam sinais e maravilhas visando levar Israel a se desviar da lealdade às tradições ancestrais. O falso profeta, o ancião rebelde, o filho rebelde: há indícios de que cada uma dessas acusações foi usada contra Jesus em algum momento. De modo específico, de acordo com a memória rabínica posterior, Jesus era um mago que atuou como falso profeta; é possível que essa ideia remonte a um aspecto do julgamento perante Caifás.[7]

Segundo, agora podemos tratar de uma das perguntas mais antigas a respeito do reino de Deus e encontrar uma resposta para ela.[8] Jesus, da perspectiva de seu ministério, considerava o reino presente ou futuro? Uma vez que encontramos o lugar ocupado por Jesus no judaísmo do primeiro século, junto com outros movimentos do reino, movimentos proféticos e movimentos messiânicos, a resposta é evidente. Se perguntássemos a Bar-Kochba em, digamos, 133 d.C., se o reino era presente ou futuro, ele teria respondido: "Ambos". Negar que era presente seria negar que ele era o líder legítimo, nomeado para efetuar a redenção de Israel. Se o reino não era presente, por que gravar em suas moedas "ano 1"? De igual modo, negar que o reino era futuro seria absurdo. O reino só se concretizaria depois que os romanos fossem derrotados e o templo fosse reconstruído. Uma vez que percebemos que o reino de Deus não diz respeito apenas a religião e ética, mas também a escatologia e política, e à teologia que dá coesão a todos esses elementos, podemos mostrar que uma das mais longas controvérsias acadêmicas é irrelevante.

Por fim, o que podemos dizer a respeito das duas primeiras perguntas a que nos propusemos responder? Que lugar Jesus ocupa em relação ao judaísmo e quais eram seus propósitos e objetivos? Mostrei que Jesus permaneceu inteiramente ancorado no judaísmo do primeiro século. Seu lugar ali, porém, foi de profeta que advertiu que o presente rumo de Israel levaria a nação ao desastre e instou com ela para que adotasse uma alternativa radical. Seu propósito era reconstituir o povo de Israel ao redor de si, realizar o verdadeiro regresso do exílio, dar início ao reino de Deus. No entanto, nada disso aconteceria por simples repetição de sua mensagem e de suas ações simbólicas até que mais e mais pessoas fossem persuadidas. Essa realidade se concretizaria por meio de acontecimentos decisivos para os quais suas duas grandes ações simbólicas apontavam. A ação no templo dizia respeito a sua identidade de Messias; a Última Ceia apontava para a cruz. É para essa estranha combinação de ideias, mais profundamente significativa, porém mais profundamente subversiva dentro do judaísmo do primeiro século do que tudo o que vimos até aqui, que agora voltamos nossa atenção.

4
O Messias crucificado

Introdução

Até aqui, esbocei um retrato de Jesus de Nazaré como profeta que anunciou o reino de Deus. Essa missão o levou a uma crítica radical do judaísmo de sua época e a uma convocação radical para que seus ouvintes o seguissem em algo que correspondia a uma nova forma de ser Israel. Dessa perspectiva, as duas perguntas das quais nos ocuparemos no presente capítulo são inevitáveis: Jesus se considerava o Messias, e, em caso afirmativo, em que sentido?;[1] e Jesus esperava morrer, ou tinha intenção de fazê-lo como parte de sua vocação, e, em caso afirmativo, como interpretou esse acontecimento?[2]

Cabem aqui três observações preliminares importantes. Poucos judeus do primeiro século (ou talvez nenhum) imaginavam que o Messias seria divino em qualquer sentido. Quando se diz que Pedro declarou: "O senhor é o Cristo", e quando Caifás perguntou: "Você é o Cristo?", nenhum dos dois estava pensando em teologia trinitária. De igual modo, as expressões "filho de Deus" e "filho do homem" tinham conotações messiânicas pelo menos em alguns círculos do judaísmo daquela época, mas não se refeririam, em si mesmas, a um ser divino. A pergunta: "Jesus se considerava o Messias?" e a pergunta diferente: "Ele *era*, verdadeiramente, o Messias?" não são o mesmo que perguntar: "Ele era, ou se considerava, em qualquer sentido, encarnação do Deus de Israel?". Tratemos de uma coisa de cada vez. Este é mais um caso de diferimento de recompensa.

Segundo, já passou da hora de abandonar a reticência que se faz passar por prudência, mas na verdade consiste apenas em timidez, que impediu estudiosos de deixar que Jesus seja (o que chamaríamos) um teólogo pensante e refletido. Aprendemos na última geração que não apenas Paulo, João e o autor de Hebreus, mas também Mateus, Marcos e Lucas eram teólogos extremamente talentosos, refletidos e criativos.

O que nos obriga a considerar Jesus uma pessoa irrefletida, instintiva e simplista, que não ponderava aquilo que estava fazendo da mesma forma que muitos de seus contemporâneos e seguidores eram plenamente capazes de fazer?

Terceiro, podemos observar que, ao procurar entender a percepção que Jesus tinha de sua vocação, não estamos tentando entender sua psicologia. É difícil o suficiente obter informações claras do estado psicológico de uma pessoa em nossa cultura, que responde a todas as nossas perguntas em nossa língua. Imaginar que podemos obter resultados com alguém de uma época e de uma cultura diferentes é entrar de olhos vendados em um quarto escuro a fim de procurar um gato preto que provavelmente nem está lá. No entanto, o que podemos fazer em princípio como historiadores é estudar a *consciência de vocação* de um indivíduo. Podemos usar essa abordagem com Paulo, ou com João Batista. Podemos aplicá-la, em certa medida, ao imperador Augusto. E, por certo, podemos usá-la com o arrogante Cícero. Um livro recente procurou usar essa abordagem com o obscuro "Mestre da Retidão" que deixou sua marca nos Manuscritos do Mar Morto.[3] Podemos examinar suas ações e seus pronunciamentos e, a partir disso, extrapolar com razoável grau de certeza seus propósitos e suas intenções. Não é o mesmo que fazer psicanálise. É realizar o trabalho habitual de historiadores.

Afinal, o que os judeus do segundo templo pensavam do Messias? É importante reconhecer desde o início que não havia, no primeiro século, um conceito único e unificado do Messias. A ideia de reinado em si é muito mais ampla do que o conteúdo de textos que falam de um Messias; temos de levar em conta a experiência de Israel e as expectativas de reis, quer asmoneus quer herodianos. Onde havia esperanças régias, elas não existiam em isolamento, mas como parte essencial da esperança de Israel como nação em sua totalidade, esperança de libertação, do fim do exílio, da derrota do mal e da volta de YHWH a Sião. E o Rei vindouro faria duas coisas centrais, de acordo com diversos textos e com o que vemos ao estudar vários movimentos com ambições régias dentro da história. Em primeiro lugar, ele construiria ou restauraria o templo. Segundo, ele lutaria na batalha decisiva contra o inimigo. O primeiro ato de Davi depois de ser ungido foi lutar contra Golias; seu último ato foi planejar o templo. Judas Macabeu derrotou os sírios e reconstruiu o templo. Bar-Kochba, o último aspirante a Messias desse período, tentou derrotar os romanos e reconstruir o templo. Por meio dessas ações, o plano messiânico tinha como objetivo fazer por Israel aquilo que os profetas de Israel haviam declarado que seria feito: resgatar Israel e trazer ao mundo a justiça de Deus. Perguntar: "Jesus se considerava o Messias?" implica perguntar também: "Ele pretendia, em algum sentido, realizar essas tarefas?".

É improvável que os seguidores de um suposto Messias que havia sido crucificado o considerassem o verdadeiro Messias. Jesus não reconstruiu o templo; além de não derrotar os romanos, havia sido executado por eles da forma usada para líderes revolucionários malsucedidos. Israel não tinha sido resgatado; a injustiça pagã ainda governava o mundo. No entanto, a convicção de que Jesus era o verdadeiro Messias se encontra profunda e inerradicavelmente inserida no mais primitivo cristianismo do qual temos qualquer indício, de tal forma que, no tempo de Paulo, o termo *Christos* já é associado ao nome de Jesus em várias fórmulas distintas. Os primeiros cristãos continuaram a usar esse termo, com suas nuanças régias, mesmo quando era constrangedor e perigoso fazê-lo. O que nos leva a perguntar: por quê?

A resposta não pode ser simplesmente: "Por causa da ressurreição". No universo do judaísmo do segundo templo, nem mesmo a ressurreição teria gerado a crença de que o indivíduo recém-trazido de volta à vida era o Messias, a menos que já se suspeitasse que ele o era antes de sua morte. Se, por exemplo, um dos sete irmãos martirizados em 2Macabeus 7 tivesse sido ressuscitado três dias depois de sua horrível tortura e morte, as pessoas teriam dito que o mundo era um lugar bastante estranho; não teriam dito que esse indivíduo era o Messias. Precisamos considerar com seriedade, portanto, o fato de que Jesus foi crucificado como pretenso Messias — como mostra o próprio "título" na cruz! — e que a ressurreição confirmou para os discípulos surpresos de Jesus que ele era verdadeiramente o Messias, embora a crucificação tivesse parecido desmentir essa asserção. Diante disso, somos obrigados a perguntar: que evidências há, durante o ministério de Jesus, de que ele se declarou Messias em algum sentido?

Jesus e a messianidade

O melhor e mais óbvio indício se encontra na ação de Jesus no templo. Como propus no capítulo anterior, essa ação deve ser entendida não como uma tentativa de reforma, mas como um símbolo encenado de julgamento. Mas quem tem autoridade para pronunciar juízo sobre o templo? A resposta é: o Rei, atuando em nome de Deus. A chamada "entrada triunfal" em Jerusalém e a ação no templo são repletas de nuanças régias. O paralelo mais recente na história de Israel havia sido, obviamente, a ação de Judas Macabeu, que entrou em Jerusalém enquanto ramos de palmeira eram agitados (2Mc 10.7), como parte da derrota dos pagãos e da restauração do culto legítimo no santuário. Essa foi a base para que a família de Judas formasse uma dinastia real que durou um século. Devemos entender que fica implícita na ação de Jesus uma reivindicação régia semelhante.

A práxis simbólica é, em si, eloquente, mas não constitui, de maneira nenhuma, um ato isolado. Vemos aqui uma das grandes vantagens de começar com as ações e, então, passar aos pronunciamentos, em contraste com a tentativa de escolher, primeiro, quais pronunciamentos são autênticos e deixar as ações para depois. A ação messiânica de Jesus no templo é cercada de vários pronunciamentos que servem de enigmas régios, por assim dizer, que explicam, nem sempre de forma muito clara, o significado daquilo que acabou de acontecer. Temos espaço aqui para examinar apenas três desses enigmas régios (Mc 11.27—12.12; 12.35-37).

Primeiro, a pergunta sobre autoridade. Com que autoridade Jesus estava fazendo tais coisas? Que direito ele tinha de se comportar dessa forma aparentemente messiânica, e o que lhe dava esse direito? A resposta de Jesus, quando perguntou a seus interlocutores o que eles pensavam de João Batista, não é simplesmente uma réplica interrogativa difícil que Jesus usou para se esquivar. É uma resposta enigmática para a indagação que havia sido feita. Ao longo de Mateus, Marcos e Lucas, Jesus se refere a João como o último grande profeta, o Elias vindouro; mas se João é Elias, isso significa que Jesus deve ser, no mínimo, o Messias. Mais especificamente, parece haver uma referência ao batismo de João como a ocasião em que Jesus foi ungido com o Espírito para sua nova tarefa; em outras palavras, o batismo foi o momento em que Jesus se tornou o ungido, o Messias.

Essa interpretação é confirmada pelo enigma mais completo, dessa vez uma parábola, que vem logo em seguida. A história dos lavradores maus trata, justamente, de uma série de profetas rejeitados que chegou a seu ápice no Filho rejeitado. Essa parábola, como tantas outras, conta a história de Israel que culmina com julgamento; também abrange, porém, a história de Jesus. Os lavradores que rejeitaram o filho trarão julgamento sobre si exatamente como Jesus havia anunciado, e agora encenado; também haverá julgamento sobre a cidade e o templo que rejeitaram sua mensagem. A parábola constitui, portanto, uma explicação mais detalhada da ação de Jesus.

A parábola é seguida do comentário enigmático adicional a respeito do filho e da pedra. "A pedra que os construtores rejeitaram se tornou a pedra angular" (Mc 12.10). Essa é uma citação do salmo 118, um salmo de peregrinação sobre a construção do templo, a celebração no templo e, por fim, os sacrifícios no templo. Jesus declara que está construindo o templo escatológico. Além disso, na visão de Daniel 2, a pedra cortada do monte, que despedaça a estátua idólatra e então se torna, ela própria, um reino que enche toda a terra, costumava ser interpretada de forma messiânica; ademais, alguns leitores de Daniel no primeiro século parecem ter identificado um jogo de palavras em hebraico entre pedra (*eben*) e filho (*ben*). Logo, a história dos servos rejeitados chega ao ápice no filho rejeitado; contudo, ele é a "pedra" messiânica que, rejeitada pelos construtores, ocupa o lugar principal no edifício. O regime (e o templo) daqueles que se opõem a ele será destruído, enquanto o reino dele será estabelecido. O enigma todo é uma explicação adicional e mais rica daquilo que Jesus fez no templo e do que o levou a fazê-lo.

O terceiro enigma messiânico a ser considerado aqui é a pergunta que Jesus faz a seus interlocutores a respeito do Senhor de Davi e do Filho de Davi (Mc 12.35-37). Como é possível, pergunta Jesus, o Messias ser Filho de Davi se, de acordo com o salmo 110, também é Senhor de Davi? Houve quem entendesse essas palavras como negação da messianidade davídica de Jesus, mas, por certo, não é o caso. Uma sugestão aparentemente melhor é entendê-las como uma redefinição do significado da messianidade davídica, especificamente como oposição de Jesus às especulações em circulação na época a respeito de um rei-guerreiro vindouro. Seria estranho, contudo, usar o salmo 110, um salmo fortemente militarista, com esse propósito. Antes, proponho que a pergunta trata de dois pontos. Primeiro, o salmo afirma que o rei também é "sacerdote para sempre, segundo a ordem de Melquisedeque"; consequentemente, ele tem autoridade sobre o templo, o que faz com que a pergunta sirva de explicação oblíqua adicional da ação de Jesus. Segundo, esse salmo, especialmente o versículo citado aqui, modifica o retrato messiânico *para que inclua uma cena de entronização* em que o indivíduo entronizado atua como juiz. Jesus volta a asseverar seu direito de anunciar o juízo do templo atual e de sua elite governante. Ao articular a pergunta dessa forma, Jesus declara enigmaticamente que é o verdadeiro filho de Davi e também aponta para a reivindicação maior de que tem autoridade de Senhor de Davi. Falaremos mais sobre isso no capítulo seguinte.

Esses enigmas encontram um lugar natural dentro da proclamação de Jesus. A meu ver, o mesmo se aplica à passagem que aparece quase imediatamente na sequência, a saber, o chamado discurso apocalíptico de Marcos 13 e passagens paralelas, que vimos de relance no capítulo 2. É suficiente observar aqui que essa passagem também tem claras nuanças messiânicas, especialmente no uso por Jesus da expressão "filho do homem" para se referir a si mesmo. No primeiro século, como mostram Josefo, 4Esdras e outros textos, a imagem do Filho do Homem que recebe vitória depois de sofrer nas mãos das bestas foi entendida prontamente por alguns judeus como referência ao Rei vindouro.[4]

Essa ideia será de ajuda quando considerarmos um tópico extremamente controverso, o "julgamento de Jesus" pelos judeus em Marcos 14.53-65. É costumeiro de longa data, e até tradicional, entender a cena descrita por Marcos de Jesus perante Caifás como uma sucessão de inferências falsas que não refletem nenhum aspecto da vida de Jesus, mas, sim, uma teologia muito posterior da igreja primitiva. Aliás, como descobri em alguns meios acadêmicos, o simples ato de questionar essa interpretação atrai sobre o questionador anátemas que costumavam ser reservados para hereges teológicos.

Quando lemos a história mais ampla da forma que propus, contudo, a passagem adquire nova coerência. Caifás interroga Jesus sobre sua ação no templo; esse era um ponto de partida natural, pois podemos supor que essa ação foi a causa imediata da prisão de Jesus. Quando Jesus não oferece nenhuma resposta, Caifás lhe pergunta diretamente se ele é o Messias; uma vez que entendemos a ligação entre templo e Messias, esse é o passo seguinte óbvio. A resposta de Jesus deve ser entendida como uma afirmação básica, reforçada por duas citações bíblicas de duas passagens que já foram relevantes em seus enigmas messiânicos: o salmo 100 e Daniel 7. "Vocês verão o Filho do Homem sentado à direita do Deus Poderoso e vindo sobre as nuvens do céu." Em outras palavras, Caifás verá a vitória de Jesus nos acontecimentos depois da morte de Jesus e no julgamento que sobrevirá ao regime de Caifás e ao símbolo central desse regime. Essa declaração final não apenas responde à pergunta sobre a messianidade, mas também explica a intenção de Jesus ao realizar a ação no templo e os enigmas em torno dessa ação. Esclarece ainda, sem maiores rodeios, como os principais sacerdotes conseguiram entregar Jesus tão facilmente ao governador com a acusação de que ele era um rei rebelde e dá o motivo pelo qual Pilatos crucificou Jesus com a inscrição "Rei dos judeus" acima de sua cabeça.

Historicamente, essa sequência faz sentido perfeito. Esclarece de forma conclusiva por que Jesus foi considerado o Messias por seus seguidores depois de sua ressurreição. E, uma vez que vemos essa imagem completa começando a se desenvolver, também entendemos que muitos elementos da carreira pública de Jesus antes de sua chegada a Jerusalém se encaixam nesse arranjo. Entre as evidências que não costumam ser observadas nesse contexto, há várias passagens em que Jesus parece estar prestes a entrar em conflito com Herodes, o pretendente, naquela época, ao cargo de rei dos judeus. Também há textos interessantes de Qumran que chamam nossa atenção para ligações messiânicas que talvez não percebêssemos de outro modo.[5] As celebrações frequentes, por Jesus, de lautas refeições com um grupo variegado de seguidores podem ser entendidas mais apropriadamente como uma encenação simbólica do banquete messiânico; e, também nesse caso, vários enigmas e pronunciamentos mais breves apontam na mesma direção. Ao que parece, Jesus tinha convicção desde o princípio que era sua vocação ser o Messias de Israel; somente em Jerusalém essa reivindicação velada se tornou pública, e mais em ações simbólicas que em ensinamentos falados. Uma vez que colocamos a ação no templo no centro da discussão e trabalhamos desse centro para fora, temos segurança para argumentar que Jesus se via como Messias pelo menos desde seu batismo por João e que seu trabalho tanto na Galileia quanto em Jerusalém, embora apresentasse mais obviamente as características distintivas de um ministério profético, tinha o tom de messianidade como subtexto constante.

Por certo, era um conceito redefinido de messianidade, consoante com toda a redefinição duplamente revolucionária, por Jesus, do reino de Deus em si. Jesus parecia se considerar o ponto focal do verdadeiro povo que estava regressando do exílio, do verdadeiro povo do reino; entretanto, esse reino, esse povo e esse Messias não se pareciam com aquilo que a maioria dos judeus esperava. Jesus estava chamando seus ouvintes a uma forma diferente de ser Israel. Agora, temos de lidar com o fato de que ele se considerava chamado a percorrer esse caminho como representante ungido de Israel e fazer por Israel — e, consequentemente, por todo o mundo — aquilo que Israel não podia fazer ou não faria por si mesmo. O conceito redefinido de messianidade de Jesus correspondia a toda a sua proclamação do reino em atos e palavras. Apontava para um cumprimento do destino de Israel que ninguém havia imaginado nem suspeitado. Como representante do povo de YHWH, Jesus veio para acabar com o exílio, renovar a aliança e perdoar pecados. Veio para efetuar o resgate de Israel, para trazer ao mundo a justiça de Deus.

Mas como ele cumpriria essa missão? Levando-se em conta o modelo de outros grupos messiânicos e afins no judaísmo, o seguinte plano seria esperável: Jesus devia ir a Jerusalém, lutar contra as forças do mal e ser entronizado como Messias de Deus, o verdadeiro Rei de Israel. Em certo sentido, foi exatamente isso que Jesus fez. No entanto, não no sentido que seus seguidores esperavam.

A crucificação do Messias

Proponho que a convicção de Jesus sobre sua vocação para a messianidade é uma das pistas mais importantes que pode nos ajudar a entender sua percepção de vocação diante da cruz. Esse assunto inclui, por certo, a questão do que levou as autoridades judaicas a entregá-lo aos romanos, e os romanos a executá-lo. Para manter a brevidade, porém, focalizarei a intencionalidade de Jesus.

Apresento esse tema com um relato. Quando era professor na Universidade McGill, em Montreal, lecionava para jovens de 12 anos em uma classe da escola dominical de nossa igreja. Certa vez, comecei a aula com a pergunta: "Por que Jesus morreu?". Os alunos pensaram por alguns momentos, sem conversar entre si, e então cada um teve a oportunidade de responder em uma frase. O mais interessante é que quase metade dos alunos deu motivos históricos: ele morreu porque chateou os principais sacerdotes, morreu porque os fariseus não gostavam dele, morreu porque os romanos tinham medo dele. A outra metade deu respostas teológicas: morreu para nos salvar de nossos pecados, morreu para que possamos ir para o céu, morreu porque Deus nos ama. Passamos uma hora fascinante reunindo esses dois conjuntos de respostas. Não sei se algum daqueles jovens se lembra dessa aula, mas eu certamente a tenho guardada na memória. Ainda acredito que a união dos dois lados dessa questão fundamental — a dimensão histórica e a dimensão teológica — seja uma das tarefas mais importantes de nosso estudo sobre Jesus.

Aqui, talvez mais que em qualquer outro lugar, deparamos evidentemente com sérios problemas de descrição histórica, de dois tipos em especial. Primeiro, embora eu não tenha como construir aqui uma argumentação completa, proponho que as fontes, apesar de terem sido escritas de uma perspectiva específica e serem repletas de interpretação teológica, ainda assim nos forneçam com razoável facilidade material histórico para realizar nosso estudo. Segundo, sem dúvida houve discussão considerável sobre a ida de Jesus a Jerusalém, se ele foi para lá com a intenção de morrer, ou pelo menos ciente de que sua morte era provável, e não fez nenhuma tentativa de evitar esse destino. Também nesse caso, deparamos com a distinção entre Schweitzer e Wrede. Wrede, que a maioria dos estudiosos do século 20 segue, descartou a ideia de que Jesus esperasse ou mesmo pretendesse morrer. Schweitzer, ao colocar Jesus em seu contexto escatológico e apocalíptico, descobriu que havia uma forma de entender a estranha intencionalidade de Jesus. Minha proposta tem bastante afinidade com a de Schweitzer, embora com correções, desdobramentos e acréscimos.

Começamos, mais uma vez, com uma ação simbólica central. Um dos grandes estudiosos judeus de nossos dias, Jacob Neusner, apresentou recentemente a ideia de que aquilo que Jesus fez na sala no andar superior tinha como objetivo contrabalançar e complementar o que ele fez no templo.[6] Embora eu discorde de Neusner quanto ao significado exato dessas ações, creio que, em essência, ele está correto. As duas ações, no templo e na sala no andar superior, são, como propus no capítulo anterior, o ponto culminante de duas linhas de atividade da carreira pública de Jesus. A ação de Jesus no templo levou ao ápice seu desafio ao mundo simbólico preponderante. O templo era o maior símbolo judaico, e Jesus o desafiou; reivindicou autoridade sobre ele e arrogou para si e para sua missão o lugar central que o templo havia ocupado. A Última Ceia foi o símbolo alternativo oferecido por Jesus, o banquete do reino, o banquete do novo êxodo. E, assim como o templo apontava para o encontro sacrificial do Deus da aliança com seu povo, o sinal de perdão e de esperança, da habitação de Deus em seu meio como Deus de renovação da aliança, fidelidade à aliança, amor na aliança, agora Jesus, com sua ação dupla, assevera que em seu ministério e em sua pessoa tudo o que o templo representava estava sendo resumido de maneira nova e final.

O que podemos dizer, então, a respeito da Última Ceia?

O significado de uma refeição de Páscoa não é controverso. Por certo, é tema de discussão se a Última Ceia *foi* uma refeição pascal; cheguei à conclusão de que foi, mesmo que, em consonância com outras práticas subversivas de Jesus, ele a tenha comemorado na noite errada. A Páscoa ligava os participantes ao êxodo, não apenas ao ser recordação do passado distante, mas também ao reconstituí-los como povo liberto, povo da aliança de YHWH. A celebração da Páscoa em qualquer época desde o exílio na Babilônia tinha o significado imediato e óbvio de que os participantes também estavam comemorando, pela fé e com esperança, o verdadeiro fim do exílio, a renovação da aliança. E, uma vez que um dos principais significados da volta do exílio era que o Deus de Israel havia, enfim, perdoado os pecados que tinham enviado o povo para o exílio, uma refeição de Páscoa no período do segundo templo era, ela própria, antes que fossem pronunciadas quaisquer palavras, forte representação desse perdão de pecados, a bênção escatológica da nova aliança.

Ao que parece, a intenção de Jesus ao celebrar essa refeição semelhante a uma refeição pascal com seu grupo de parentesco simbólico, seus doze seguidores, era que ela tivesse um nível adicional de significado representativo, também antes que qualquer palavra fosse proferida. Se a história de Israel estava chegando a seu ápice, como a refeição indicava, ela o faria por meio de Jesus e em seu destino. Suas ações com o pão e o cálice, como as ações de Ezequiel com o tijolo e as de Jeremias com o vaso quebrado, serviram de simbolismo profético, apontando para as ações de julgamento e salvação que ele acreditava que YHWH estava prestes a realizar. Nesse contexto, as palavras de Jesus indicam que ele trouxe propositadamente à baila toda a tradição do êxodo e mostrou que a esperança de Israel se realizaria em sua morte e por meio dela. Ele parece dizer que sua morte deve ser vista dentro do contexto da história mais ampla da redenção de Israel por YHWH; mais especificamente, seria o momento central e culminante em direção ao qual essa história havia se movido. Aqueles que participaram com ele da refeição eram o povo da aliança renovada, o povo que havia recebido o "perdão de pecados", isto é, o fim do exílio. Reunidos ao redor dele, constituíam o verdadeiro Israel escatológico.

Como esse entendimento do significado da Última Ceia pode fazer sentido dentro de uma interpretação mais ampla de Jesus e suas intenções? Vimos que era esperado de um Messias que lutasse na grande batalha de Israel contra o velho inimigo e que reconstruísse o templo como lugar em que YHWH se encontraria com seu povo com graça e perdão. Mas, como observamos nos capítulos anteriores, o desafio de Jesus a seus contemporâneos era para que aderissem a um programa duplamente revolucionário por meio do qual Israel se tornaria a luz do mundo, não através de combate militar em batalhas, mas ao dar a outra face e percorrer a segunda milha. No cerne do plano subversivo de Jesus se encontrava o chamado para que seus seguidores tomassem a cruz e o seguissem, para que se tornassem seus companheiros na história alternativa do reino que ele estava encenando. Proponho que Jesus levava sua história a sério. Ele próprio andaria pelo caminho que havia apontado para seus seguidores. "Ele daria a outra face; percorreria a segunda milha; tomaria a cruz. Seria a luz do mundo e o sal da terra. Seria Israel por amor a Israel."[7] Derrotaria o mal ao permitir que o mal lhe causasse o maior estrago possível.

Uma vez que entendemos essa ideia, vemos o que acontece nos vários enigmas que, mais uma vez, cercam a ação simbólica central. Também aqui, escolhi apenas três. Lucas registra em 23.31 um estranho pronunciamento quando Jesus está a caminho da cruz: "Se fazem estas coisas com a árvore verde, o que acontecerá com a árvore seca?". O contexto — a advertência para as mulheres de Jerusalém acerca do julgamento que sobrevirá a elas e a seus filhos — traz à mente diversas profecias bíblicas da destruição vindoura que ocorreria porque a cidade havia recusado seu verdadeiro Rei e se afastado do caminho da paz. Ao que parece, Jesus estava dizendo que sua morte nas mãos dos romanos era o sinal mais claro do destino reservado para a nação que o havia rejeitado. Roma o havia condenado em virtude de uma acusação da qual ele era inocente, mas da qual muitos de seus compatriotas eram inteiramente culpados. Jesus era a árvore verde; esses compatriotas eram a árvore seca.

Devemos observar que esse pronunciamento não tem nenhum tipo de teologia da expiação, como a que caracterizava a forma como a igreja entendia a morte de Jesus desde o início. Seu lugar não é entre as mais primitivas reflexões pós-pascais sobre a crucificação, mas nos lábios de Jesus. Dá a entender que Jesus considerou sua morte organicamente ligada ao destino de Israel como nação. Depois de anunciar o juízo de YHWH sobre o templo e sobre a nação, agora Jesus se encaminha para sofrer o castigo que simbolizava o julgamento de Roma sobre seus súditos rebeldes.

Esse tema adquire maior proeminência no segundo enigma. Jesus diz: "Quantas vezes eu quis juntar seus filhos como a galinha protege os pintinhos sob as asas, mas você não deixou. E, agora, sua casa foi abandonada e está deserta" (Mt 23.37-38; Lc 13.34-35). Essa também é uma advertência de juízo sobre o templo que Deus abandonou. No entanto, a imagem da galinha e seus pintinhos mostra, mais uma vez, a intenção de Jesus diante desse julgamento. A imagem é de fogo em um sítio; a galinha reúne os pintinhos debaixo de suas asas e, quando o fogo passa, a galinha é encontrada morta, chamuscada e escurecida, mas com os pintinhos vivos debaixo de suas asas. Jesus parece apontar para sua esperança de tomar sobre si o julgamento que pairava sobre a nação e a cidade. Indica que, como Elias em Siraque 48.10, esperava desviar de Israel a ira divina. Essa oportunidade, contudo, havia passado. O destino de Jesus permanece ligado indissoluvelmente ao de Jerusalém, mas a cidade escolheu não se beneficiar de sua obra.

O terceiro enigma aparece na resposta de Jesus a Tiago e João. Eles serão capazes de beber do cálice que Jesus beberá, ou de ser batizados com o batismo com o qual ele será batizado (Mc 10.38-40)? O "cálice", que aparece novamente na narrativa do Getsêmani, denota sofrimento, ou mesmo martírio, e nos escritos proféticos com frequência é o cálice da ira de YHWH. O "batismo" parece se referir ao destino que Jesus ainda tem de sofrer, para o qual o batismo de João, com seu simbolismo do êxodo, apontava de forma apropriada. Jesus participará do destino de Israel para que o verdadeiro êxodo se concretize.

Ao deixarmos que esses enigmas — dos quais falei aqui de modo extremamente sucinto — interpretem a ação simbólica central da sala no andar superior, uma imagem começa a surgir. Jesus parecia considerar sua morte iminente como parte, aliás, como ponto culminante, da vocação em que seu trabalho e o destino de Israel se encontravam entrelaçados. Com essa ideia em mente, conseguimos entender as chamadas predições da paixão que aparecem em vários pontos dos relatos de Mateus, Marcos e Lucas.[8] Quando são consideradas de forma isolada, sua autenticidade muitas vezes é questionada; mas, se começamos com a Última Ceia e percorremos o caminho inverso, passando pelos enigmas explicativos, surge uma estrutura dentro da qual essas predições fazem bastante sentido.

Ademais, esse sentido encontra seu lugar, como Albert Schweitzer observou um século atrás, no contexto das crenças judaicas do segundo templo sobre a redenção escatológica vindoura. Dentro da narrativa central de exílio e restauração, vemos em vários textos bíblicos e pós-bíblicos uma trama subjacente importante: o livramento se dará por meio de um período de sofrimento intenso, por vezes chamado "Ais messiânicos". A grande tribulação irromperia sobre a nação e, por meio dela, se efetuariam a redenção, a nova era e o perdão de pecados. De acordo com Schweitzer, Jesus viu esse tempo de provação, o *peirasmos*, assomar sobre Israel, e sua intenção era tomá-lo sobre si. Daí sua ordem para que os discípulos vigiassem e orassem a fim de que eles também não entrassem em *peirasmos*. Essa ideia adquire credibilidade adicional quando consideramos que alguns judeus e grupos judaicos se enxergavam como pontos focais do sofrimento de Israel: os mártires macabeus, vários dos profetas e o homem justo que, em Sabedoria de Salomão 2—3, é perseguido e morto, mas receberá vitória. Temas semelhantes podem ser observados em Qumran.⁹

Todos esses desdobramentos do período do segundo templo parecem voltar a diversos textos bíblicos: Daniel, Salmos, Zacarias, Ezequiel e, é claro, Isaías, especialmente as passagens sobre o servo em Isaías 40—55. Não creio que os judeus do período do segundo templo já houvessem abstraído uma "figura de servo" de Isaías, ou tivessem desenvolvido uma teologia específica de expiação ou redenção em torno de uma figura desse tipo; antes, todos esses escritos dão testemunho da ideia de que os sofrimentos de Israel como nação se concentrariam em determinado ponto. Não havia, em outras palavras, nenhuma crença judaica pré-cristã clara em um "servo de YHWH" em Isaías, um servo que, talvez como Messias, sofreria e morreria para fazer expiação por Israel ou pelo mundo.

> Havia, contudo, algo diferente, atestado por literalmente dezenas de textos: uma crença em grande escala e amplamente difundida, para a qual Isaías fez uma contribuição expressiva, de que o sofrimento presente de Israel fazia parte, de algum modo, do propósito divino em andamento; de que, no devido tempo, esse período de aflição chegaria ao fim; de que a explicação para a situação presente era relacionada ao pecado de Israel; de que o sofrimento presente apressaria, de algum modo, o momento em que a tribulação de Israel seria completada, em que a nação finalmente seria purificada do pecado para que o exílio pudesse ser desfeito. Havia, em outras palavras, uma crença, formada não em discussões abstratas, mas em pobreza, tortura, exílio e martírio e por meio deles, de que o sofrimento de Israel talvez fosse não apenas um estado *do qual* a nação seria redimida, no devido tempo de YHWH, mas também, de forma paradoxal, em certas circunstâncias e em certos sentidos, parte do meio *pelo qual* essa redenção seria efetuada.¹⁰

A meu ver, Jesus e seu entendimento de si mesmo ao enfrentar a morte devem ser situados no meio dessa cosmovisão.

Proponho, em outras palavras, que podemos reconstruir de forma plausível uma mentalidade em que era possível um judeu do primeiro século crer que YHWH agiria por meio do sofrimento de um indivíduo específico sobre o qual seriam concentrados os sofrimentos de Israel; que esse sofrimento teria importância redentora; *e que esse indivíduo seria ele próprio*. E proponho que podemos sugerir, arrazoadamente, que essa era a forma de pensar de Jesus. Mostrarei essa argumentação passo a passo.

Jesus acreditava que a história de Israel havia chegado a seu ponto focal. Mais especificamente, ele acreditava que o *exílio* havia chegado a seu ápice. Acreditava ser ele próprio o portador do destino de Israel nesse momento decisivo. Ele era o Messias, que tomaria sobre si esse destino e o levaria a seu ponto focal. Ele havia anunciado o julgamento de YHWH sobre seu povo recalcitrante; agora, como havia acontecido com os profetas de outrora, alguns do povo planejavam matá-lo. Jesus havia declarado que o caminho para o reino era o caminho da paz, o caminho do amor, o caminho da cruz. Quem lutasse com as armas do inimigo já teria perdido a batalha em princípio e logo a perderia, terrivelmente, na prática. Jesus identificou que era sua tarefa e seu papel, sua vocação como representante de Israel, perder a batalha em nome de Israel. Esse seria o meio pelo qual Israel se tornaria luz não apenas para si mesmo (os mártires macabeus pareciam pensar apenas na libertação de Israel), mas para o mundo todo.

Como esses mártires, Jesus sofreu aquilo que, em seu parecer, eram as consequências da corrupção pagã de Israel:

> Israel havia flertado com o paganismo; o resultado, como sempre, seria sofrimento; os mártires o tomaram sobre si. Ao contrário deles, Jesus considerou corrupção pagã *o próprio desejo de lutar contra o paganismo*. Israel havia se tornado um local propício para o desenvolvimento de uma revolução nacionalista; a consequência seria sofrimento, especificamente na forma de espadas romanas, edifícios que desabariam e, acima de tudo, cruzes plantadas do lado de fora do muro da cidade. Como representante de Israel, ele tomaria tudo sobre si. E, como acontece em muitas de suas parábolas, ele contaria, mais uma vez, a conhecida história de Israel, com uma alteração radical e subversiva no final. No entanto, ele não contaria essa história como orador, que troca aforismos em praça pública, mas como rei, exilado fora das portas de sua própria cidade amada.[11]

Logo, ele faria por Israel aquilo que Israel não podia fazer por si mesmo. Cumpriria a vocação de Israel para ser luz do mundo e povo que serve.

Proponho que era dessa maneira que Jesus entendia sua vocação messiânica. Como observamos, esperava-se que o Messias reconstruísse ou purificasse o templo e lutasse na grande batalha de Israel. Como Jesus enxergava sua vocação em relação a essas tarefas?

Ele não reconstruiria o templo em sentido físico. Ele seria o lugar e o meio pelo qual se concretizaria aquilo que o templo representava. Ele seria a realidade para a qual o sistema sacrificial havia apontado. Repetidamente ao longo de seu ministério, ele havia agido de uma forma que deixava de fora o templo e seu sistema e oferecido perdão a todos com base em sua própria autoridade. Agora, Jesus se encaminhava para sua morte, mostrando em sua última grande práxis simbólica que estava sendo aberto um caminho pelo qual o que normalmente era obtido por intermédio do sistema sacrificial agora seria obtido por meio de Jesus.

Mais especificamente, Jesus lutaria na batalha messiânica. Ele já havia definido os termos: aquele que salvar sua vida a perderá, mas aquele que perder sua vida a salvará. Em lugar dos insultos e das ameaças que os mártires lançavam contra seus acusadores, Jesus, como toda a multifacetada tradição cristã primitiva atesta, sofreu em silêncio, com exceção de palavras de perdão e esperança. Essa é uma inovação tão impressionante na tradição dos mártires que é inteiramente inexplicável, a menos que seja fiel aos fatos históricos. Jesus, conhecido por sua extraordinária compaixão durante seu ministério público, realizou um último grande ato que consistiu em entregar a si mesmo por outros, um ato ao qual a igreja primitiva se referia com frequência e com grande reverência.

Em outra obra, desenvolvi a linha de argumentação longa e complexa a respeito das intenções de Jesus e não creio que, no momento, seja capaz de aprimorá-la:

> Jesus foi a Jerusalém não apenas para pregar, mas para morrer. Schweitzer tinha razão: Jesus acreditava que os ais messiânicos estavam prestes a irromper sobre Israel e que ele precisava, sozinho, tomá-los sobre si. No templo e na sala no andar superior, Jesus encenou intencionalmente dois símbolos que resumiam toda a sua obra e seu plano. O primeiro símbolo dizia: o atual sistema é corrupto e recalcitrante. Está pronto para ser julgado. Mas Jesus é o Messias, aquele por meio de quem YHWH, o Deus de todo o mundo, salvará Israel e, por intermédio dele, o mundo. E o segundo símbolo dizia: é dessa forma que ocorrerá o verdadeiro êxodo. É dessa forma que o mal será derrotado. É dessa forma que pecados serão perdoados.

Jesus sabia — ele deve ter sabido — que havia grande probabilidade de essas ações, e as palavras que as acompanharam e as explicaram, o levarem a ser julgado como falso profeta que estava fazendo Israel se desviar e como pretenso Messias; também sabia que, como resultado desse julgamento, a menos que fizesse o tribunal mudar de ideia, ele seria entregue aos romanos e executado como (malsucedido) rei revolucionário. Não era preciso, contudo, muita percepção "sobrenatural" para chegar a essas conclusões, assim como não era preciso muito mais que bom senso para predizer que, se Israel continuasse tentando se rebelar contra Roma, os romanos fariam com a nação o que estavam para fazer com esse estranho pretenso Messias. No entanto, no cerne das ações simbólicas de Jesus e em sua narrativa da história de Israel havia muito mais que pragmatismo político, audácia revolucionária ou desejo de glória do martírio. Havia uma análise profundamente teológica de Israel, do mundo e do papel dele em relação a ambos. Havia uma forte percepção de vocação e confiança no deus de Israel que, obviamente, ele acreditava que era Deus. Havia convicção inabalável — o Getsêmani parece quase tê-la abalado, mas Jesus também parece ter entendido esse fato como parte do propósito, parte da batalha — de que, se ele fosse por esse caminho, se ele lutasse nessa batalha, a longa noite de exílio de Israel finalmente se encerraria, e o novo dia para Israel e para o mundo raiaria de uma vez por todas. Ele próprio seria vindicado (é claro; todos os mártires criam nisso); e o destino de Israel de salvar o mundo seria, portanto, concretizado. Jesus não apenas traria certo alívio para seus seguidores e para qualquer um que se juntasse a eles ao atrair sobre si, por um momento, a ira de Roma e criar a oportunidade para que seus seguidores escapassem; ao derrotar o verdadeiro inimigo, ele o faria em favor do mundo todo. A vocação de servo, de ser luz do mundo, se realizaria nele e, portanto, nos seguidores que se reagrupariam depois de sua vitória. Graças à morte do pastor, YHWH se tornaria rei de toda a terra. A vitória do "filho do homem" efetuaria a derrota definitiva do mal, o resgate do verdadeiro Israel e o estabelecimento de um reino mundial.

Portanto, Jesus tomou sua cruz. Tinha passado a considerá-la, também, de modo profundamente simbólico: agora, não representava apenas a opressão romana, mas o caminho de amor e paz que ele havia recomendado com tanta veemência, o caminho da derrota que havia anunciado como caminho para a vitória. Ao contrário de suas ações no templo e na sala no andar superior, a cruz era símbolo não de práxis, mas de passividade, não de ação, mas de paixão. Ela se tornaria o símbolo de vitória, mas não da vitória de César, nem daqueles que usavam os métodos de César para se opor a César. A cruz se tornaria símbolo da vitória de Deus porque seria o meio de sua concretização.[12]

Conclusão

O conteúdo deste capítulo produz duas reações negativas quando o apresento em preleções e também quando pessoas leem declarações semelhantes que fiz em forma impressa. Alguns costumam dizer que essas asserções parecem extremamente incomuns e estranhas. Alguns cristãos, habituados com a teologia aparentemente direta de hinos como "Rude cruz" e a apresentação fácil de compreender de certos tipos de teologia da expiação, consideram essas ideias bastante complexas e difíceis. Como podemos imaginar que Jesus pensou todas essas coisas e, se ele as pensou, que efeito isso tem sobre nossa fé simples? Semelhantemente, alguns estudiosos críticos me repreenderam por dizer que sei coisas que não temos como saber e por projetar em Jesus ideias de toda espécie que não sabemos se algum dia passaram por sua mente.

A estes últimos eu digo, não pela primeira vez, que a melhor hipótese histórica é aquela que, com simplicidade apropriada, explica os dados diante de nós; e que, uma vez que muitos detalhes desse quadro *não* são sinônimos da teologia de expiação da igreja primitiva — embora, ainda assim, se apresentem como a raiz a partir da qual essa teologia pode ter se desdobrado —, temos condições de desenvolver uma forte argumentação que não pode ser descartada pela simples repetição de dogmas acadêmicos ("Sabemos que Jesus não pode ter pensado uma coisa dessas"). Há comprovação de que judeus do primeiro século *pensavam* dentro dessa linha, e todos os sinais indicam que Jesus interpretou dessa forma a narrativa abrangente e a aplicou a si mesmo.

Aos primeiros eu digo, não pela última vez, que o caminho para o crescimento cristão consiste, com frequência, em permitir que nova aparente complexidade nos deixe perplexos e espantados. Há grande simplicidade no cerne desse retrato, mas ela tem alto custo. O preço que ela exige de nós é a atenção contínua a formas específicas (estranhas para nós, e talvez até repulsivas) de pensar no primeiro século que caracterizavam Jesus.

Afinal de contas, queremos descobrir e seguir Jesus, ou preferimos um ídolo que nós mesmos criamos?

Faço quatro comentários para concluir. Primeiro, tudo isso só tem relevância perene, evidentemente, se dissermos que Jesus de Nazaré ressuscitou. Tratarei da questão da Páscoa no capítulo 6. Por ora, devemos observar que, se o corpo de Jesus tivesse permanecido no túmulo, não haveria, nem por um momento sequer depois da execução dele, motivo para alguém levar a sério suas declarações de messianidade; também não haveria razão para crer que sua morte havia sido especialmente significativa. Como todos sabiam, um Messias crucificado era um Messias fracassado. Talvez alguns tenham pensado: "E daí que Jesus tinha convicções grandiosas, complexas e talvez até bastante piedosas a respeito de sua execução iminente? Pior para ele". Não. Sem a ressurreição, isso tudo é apenas uma tentativa iludida de criar coragem para enfrentar a vida. É a Páscoa que corrobora a interpretação, por Jesus, de sua morte.

Segundo, a cruz, vista à luz da Páscoa, se apresenta como ponto decisivo da história. Se seguirmos a interpretação de Jesus de sua vocação, a cruz foi o momento em que o mal e a dor do mundo inteiro foram amontoados em um só lugar para ser tratados de uma vez por todas.

Claro que essa ideia nos desafia incisivamente com a pergunta: por que, então, o mal e o sofrimento ainda correm soltos pelo mundo? Em certa medida, é um consolo observar que os cristãos primitivos, que asseveravam categoricamente a eficácia da cruz, enfrentaram essa mesma dificuldade. Colossenses e Efésios, em que Paulo celebra de modo tão magnífico aquilo que Jesus realizou, foram escritos na prisão, enquanto principados e potestades faziam com ele o que bem entendiam. Temos de viver com essa tensão, embora devamos observar que, se a vitória da cruz não for posta em prática na vida do mundo, se for confinada apenas ao chamado âmbito "espiritual", negaremos implicitamente parte do significado pretendido por Jesus. Evidentemente, essa interpretação da cruz e da ressurreição exige que também creiamos na consumação final ainda por vir, em que Deus enxugará todas as lágrimas de todos os olhos. Tudo isso aponta para os dois últimos capítulos deste livro.

Terceiro, a cruz pode ser vista como o último grande ato de amor de Jesus. Conduz a um ponto culminante todas as ações ao longo de seu ministério — tocar um leproso, tratar com ternura os que sofriam de enfermidades crônicas, chorar junto à sepultura de Lázaro — em que vemos verdadeiramente em ação o Jesus profundamente humano e (como argumentarei no capítulo seguinte) caracteristicamente repleto de Deus. Quando João declara que Jesus, tendo amado aqueles que lhe pertenciam e que estavam no mundo, os amou ao máximo (Jo 13.1), essa não é uma versão teológica posterior sobreposta a acontecimentos que, na verdade, foram bem diferentes. É simplesmente um relato dos fatos.

Quarto, quero destacar mais uma vez, a partir dessa nova perspectiva em nossa história, o lugar ao qual chegamos ao aplicar "o desafio de Jesus" às tarefas que nos esperam em nosso mundo. Quando falamos de "seguir a Cristo", estamos nos referindo ao Messias crucificado. Sua morte não foi apenas a parte desagradável, que permite que nossos pecados sejam perdoados e que, depois disso, pode ser esquecida. A cruz é a janela mais fiel, verdadeira e profunda para o coração e o caráter do Deus vivo e amoroso; quanto mais aprendemos sobre a cruz, em todas as suas dimensões históricas e teológicas, mais descobertas fazemos sobre aquele que nos criou à sua imagem e, portanto, sobre nossa vocação para ser o povo que toma a cruz, o povo em cuja vida e serviço o Deus vivo é revelado. E, portanto, quando falamos (como fiz no congresso do qual este livro nasceu) sobre dar forma a nosso mundo, não tratamos a cruz — e não ousamos tratá-la — como aquilo que nos salva "pessoalmente", mas que pode ser colocado de lado quando seguimos com a vida. A tarefa de dar forma a nosso mundo é entendida mais apropriadamente como a tarefa redentora de aplicar ao mundo a realização da cruz; e, nessa tarefa, os métodos, bem como a mensagem, têm de ser inteiramente cruciformes. Voltaremos a essa questão nos capítulos finais.

Em minha experiência, porém, há outras duas perguntas que se apresentam para nós quando acompanhamos a argumentação até este ponto. Em que Jesus cria a respeito de si mesmo e de Deus? E o que, exatamente, aconteceu na Páscoa? Esses serão os temas dos dois capítulos a seguir.

5
Jesus e Deus

Introdução

Habituei-me a ouvir as seguintes perguntas: primeiro, se Jesus era Deus, e segundo, se Jesus sabia que era Deus. Essas são perguntas prementes e importantes, mas, antes de tratar delas, temos de redefini-las.[1]

O problema é que o termo "deus" ou "Deus" não significa a mesma coisa para todos que o empregam; além disso, a maioria das pessoas na cultura ocidental de hoje, quando usa esse termo, não tem em mente a mesma coisa que o cristianismo tradicional, criteriosamente refletido. O resultado é bastante drástico: se eu simplesmente responder com "sim" a uma ou outra dessas perguntas que acabei de mencionar, a maioria de meus leitores me ouvirá afirmar algo que não acredito que seja verdade. Não creio que Jesus pensasse que era identificado com o ser que, para a maioria das pessoas em nossa cultura, o termo "deus" denota.

Na cultura ocidental moderna tardia, "deus" é o deus do deísmo iluminista. Esse ser longínquo e indiferente talvez seja responsável, em algum sentido, pela criação do mundo, mas ele — talvez um pronome neutro fosse mais apropriado — é, em essência, distante e inacessível e, com certeza, não se envolve na vida diária, muito menos na dor diária, do mundo em seu presente estado. A simples ideia de "intervenção divina" é, dentro desse contexto, um erro de categoria; um deus desses nem sonharia em "intervir". Claro que muitos cristãos, ansiosos por manter uma base teórica para sua percepção da presença e do poder de Deus, se referem a Deus como um ser inteiramente desligado do mundo, ao mesmo tempo que falam do mesmo Deus como alguém que intervém "miraculosamente" dentro do mundo. Com efeito, dizem que, embora, pela lógica, essa intervenção não deva acontecer, Deus é maior que a lógica e, portanto, pode, por assim dizer, quebrar suas próprias regras. Mas não é dessa forma que a Bíblia fala de Deus. E, ainda mais importante, não é a imagem de Deus que descobrimos em Jesus.

Ao mesmo tempo, houve em nosso mundo pós-secular um ressurgimento de interesse em coisas vagamente "religiosas" ou "espirituais" de toda espécie. Livrarias têm reservado maior espaço para "crescimento espiritual", com seções sobre reencarnação, "canalização", Feng Shui, descoberta de sua deusa pessoal e outros temas aparentemente empolgantes. Ao que tudo indica, "espiritualidade" e "divindade" estão de volta com força total, desde que não tenham nenhuma relação com qualquer coisa semelhante ao cristianismo tradicional, que costuma ser representado nas mesmas livrarias por uma seleção de Bíblias de capa branca e Livros de Oração, produtos criados para ser presentes de primeira comunhão ou confirmação e depois, podemos supor, em 95% dos casos, esquecidos em uma prateleira onde juntarão pó. (Além disso, as livrarias maiores, com certeza no Reino Unido e, muitas vezes, nos Estados Unidos também, têm em estoque livros sensacionalistas como "Jesus era um maçom egípcio", mas não livros igualmente fáceis de ler e mais substanciais que exploram as verdadeiras origens históricas e o significado contemporâneo do cristianismo genuíno.)

No momento, portanto, são oferecidos vários "deuses". Mas será que algum deles tem alguma ligação com Jesus? É fundamental que, em nossa geração, voltemos a perguntar: a que, ou melhor, a quem, a palavra "deus" verdadeiramente se refere? E se, como cristãos, reunirmos Jesus e Deus em uma identidade de algum tipo, que espécie de resposta ela fornece para nossa pergunta?

Quando eu era mais jovem, as respostas apresentadas para essas perguntas constituíam alternativas categóricas. De um lado, muitos cristãos se contentavam com alguma forma da argumentação apresentada por C. S. Lewis em muitos de seus textos. Jesus afirmava que era divino; logo, isso significa que ele era louco (o restante de seus ensinamentos contradiz essa ideia), ou era um charlatão consumado (toda a sua vida e, especialmente sua morte, contradizem fortemente essa ideia), ou estava dizendo a verdade, e temos de engoli-la. Do outro lado, ouvíamos repetidamente de teólogos que pareciam ocupar os mais altos níveis acadêmicos que tudo isso era besteira. Sabíamos, com certeza, que era absurdo Deus ser humano, ou um homem ser divino. As categorias eram mutuamente exclusivas. Nenhuma pessoa em são juízo se consideraria divina (linha de pensamento proposta pelo teólogo americano John Knox na década de 1950 e repetida exaustivamente em alguns círculos desde então). De modo mais específico, nenhum judeu do primeiro século era capaz de se considerar, em qualquer sentido, "divino"; afinal, os judeus eram monoteístas, e a ideia de que um ser humano fosse, de algum modo, divino, só pode ser posterior a esse período, uma corrupção pagã do pensamento e ensino originais e não encarnacionais de Jesus e pertencente, na verdade, à igreja primitiva. Qualquer aparente contradição era sumariamente desconsiderada: dizia-se que as "asserções" feitas por Jesus de sua "divindade" eram invenções do final da primeira geração cristã ou de um período posterior colocadas nos lábios de Jesus, especialmente no Evangelho de João.

Para os estudantes de teologia de minha juventude, esses dois posicionamentos pareciam separados por um grande espaço. A batalha entre eles não era um combate corpo a corpo; as linhas divisórias eram traçadas a certa distância uma da outra, como as avenidas North Parade e South Parade, separadas por quase dois quilômetros no norte de Oxford, que deixaram uma incômoda terra de ninguém entre os soldados monarquistas e os parlamentaristas na Guerra Civil Inglesa. Canhões que atiravam de longe permitiam que ambos os lados indicassem a seus apoiadores que haviam conquistado uma vitória. Aqueles que se aventuravam no espaço intermediário muitas vezes eram alvo de tiros de ambos os lados.

Por vezes, muito tempo depois que uma guerra acaba, ainda há soldados escondidos na selva, sem saber que o mundo seguiu adiante e passou a outras questões. Dois soldados inimigos como esses que se encontrem por acaso talvez ainda lutem entre si até a morte. Tendo em conta a nova realidade do mundo, porém, seu embate é irrelevante. A meu ver, essa é a situação de muitos que ainda lutam na guerra entre a asserção confiante de que Jesus afirmava que era Deus e, portanto, devia ser, e a asserção igualmente confiante de que é impossível que ele o houvesse afirmado e, portanto, ele não o fez, e não era. Sob risco de suscitar ira de ambos os lados, peço permissão para discordar. O mundo seguiu adiante, e foi a história — especialmente o estudo do judaísmo e do cristianismo do primeiro século — que o fez avançar. Há novas batalhas. Claro que não são completamente diferentes das anteriores, mas têm elementos novos significativos. Creio, também, que têm possibilidades significativas de reconciliação.

"Deus" no judaísmo do primeiro século

Como ponto de partida essencial, temos de sondar a mente dos contemporâneos judeus de Jesus em referência à seguinte pergunta: o que eles queriam dizer quando usavam a palavra "deus"?

Algumas teologias acreditam em um deus, ou em deuses, mas consideram esse ser, ou esses seres, inteiramente separados de nosso mundo. São distantes e indiferentes, contentes em seu âmbito de existência, especialmente porque têm pouco ou nada que ver com o nosso. Outros acreditam que deus, ou "o divino", ou "o sagrado", é apenas um aspecto ou uma dimensão de nosso mundo: no fim das contas, "deus" e o mundo são praticamente a mesma coisa, ou, pelo menos, "deus" se torna uma forma de articular a sensação de maravilhamento, de possibilidade espiritual, latente no mundo como o conhecemos.

Essas duas perspectivas podem ser um ponto de partida para um posterior ateísmo do tipo teórico (em que as pessoas chegam à incredulidade por meio da razão) ou do tipo prático (em que as pessoas não têm nenhuma interação com o deus/os deuses em que dizem acreditar). O primeiro tipo simplesmente permite que seu "deus" se torne tão distante que ele desaparece. Foi o que aconteceu com alguns pensadores do século 19; eles permitiram que o "deus distante" do Deísmo se afastasse cada vez mais, como um satélite desgarrado que, por fim, deixa de orbitar em volta da Terra e se perde para sempre no espaço. O segundo tipo pode se tornar tão habituado a reconhecer diversas "forças" divinas, personificadas em diferentes "deuses", que essas divindades se tornam corriqueiras e insignificantes, reconhecidas apenas em ocasionais superstições. Foi o que aconteceu com boa parte do paganismo antigo na Grécia e em Roma.

Da mesma forma, essas duas perspectivas podem gerar o relativismo que está na moda atualmente (ou será que, na verdade, são causadas por ele?). É interessante observar que, no clima religioso atual, muitos declaram com tanto fervor que "todas as religiões são iguais" quanto os dogmáticos de outrora insistiam em determinadas formulações ou interpretações. O dogma de que todos os dogmas são errados, a insistência monolítica de que todos os sistemas monolíticos devem ser rejeitados, apossaram-se da imaginação popular em um nível que vai muito além do discurso racional ou lógico. O conceito de "deus distante" incentiva esse fenômeno: se deus (ou os deuses) é distante e, em sua maior parte, incognoscível, todas as religiões humanas devem ser, na melhor das hipóteses, vagas aproximações, diferentes caminhos para o alto do monte (e, de qualquer forma, todos os caminhos logo se perdem na neblina). De forma semelhante, o panteísmo que considera "deus" o aspecto divino ou sagrado dentro do mundo presente leva, em última análise, ao mesmo rumo: se todas as religiões interagem com "o sagrado" nesse sentido, são apenas linguagens diferentes para expressar o mesmo conceito.

Poucos que adotam uma ou outra dessas crenças (ou, em alguns casos, ao que parece, ambas) param e refletem sobre o quanto são arrogantes e imperialistas essas rejeições de religiões supostamente arrogantes e imperialistas. Dizem, apoiados por toda a autoridade do Iluminismo do século 18, que descobriram a verdade oculta que nenhuma das grandes religiões (especialmente o judaísmo, o cristianismo e o islamismo) percebeu: a saber, que todas as religiões são, "na verdade", variações do conceito iluminista de "religião". Claro que, se você partir desse pressuposto, parece ser a conclusão natural, não é mesmo?

Mas por que devemos acreditar na asserção arrogante do Iluminismo mais que na de qualquer outra pessoa? Alguns cristãos, imaginando-se generosos de espírito para com aqueles que têm crenças diferentes, referem-se a eles como "cristãos anônimos"; hoje essa ideia é amplamente rejeitada e considerada terrivelmente presunçosa. Por que um budista desejaria ser um "cristão anônimo"? Da mesma forma, contudo, é igualmente arrogante, ou mais, afirmar que os praticantes de *todas* as religiões são, na verdade, "pessoas religiosas iluministas anônimas".

Evidentemente, não temos como resolver aqui essa enorme controvérsia. Apresento-a apenas para mostrar como diferentes conceitos de "deus" geram (ou são gerados por) diversas perspectivas atuais sobre o significado do mundo e das religiões. E também para mostrar que o conceito judaico de "deus" era bem diferente tanto do ser (ou seres) distante do epicurismo antigo e do deísmo mais recente quanto do deus (ou deuses) imanente do paganismo e panteísmo antigos e modernos.

Os judeus criam em um Deus específico e único, que havia criado o mundo e estava presente para ele e ativo dentro dele ao mesmo tempo que continuava a ser soberano sobre ele e misteriosamente distinto dele. Conheciam esse Deus (embora, a certa altura, tenham deixado de pronunciar esse nome) como YHWH, "Aquele Que É", o Soberano. Ele (os judeus empregavam pronomes masculinos para YHWH, embora soubessem muito bem que transcendia gênero, e com frequência também usassem imagens femininas) não era distante nem desinteressado. E não era simplesmente uma percepção generalizada da dimensão sagrada dentro do mundo, nem a objetificação ou personificação de forças e impulsos dentro desse mundo. Antes, era o *criador* de tudo o que existe, poderoso e envolvido dentro da própria criação, embora não fosse, de maneira nenhuma, reduzido a ela. O monoteísmo judaico clássico veio a crer, portanto, (a) que havia um só Deus, que criou o céu e a terra e que permanecia em relacionamento próximo e dinâmico com sua criação; e (b) que esse Deus havia chamado Israel para ser seu povo especial. Essa vocação era, por vezes, ligada explicitamente à primeira crença: YHWH havia escolhido Israel *em favor* do mundo de modo mais amplo. A eleição, a escolha de Israel, era o ponto focal do propósito divino de agir no mundo para resgatá-lo e restaurá-lo, para concretizar o que alguns autores bíblicos chamam de "nova criação".

Essa crença dupla (monoteísmo e eleição; ou, se preferir, criação e aliança) nunca foi simplesmente um par de proposições abstratas, ao qual se chegou por meio de investigação filosófica ou especulação hipotética. Foi descoberta por meio de uma história específica e era expressa caracteristicamente ao se contar e recontar essa história de uma forma ou de outra. De acordo com essa história, a família de Abraão, ao descer para o Egito, foi escravizada, foi resgatada de maneira impressionante e, então, recebeu uma terra na qual poderia habitar. Aqueles que vivenciaram esses acontecimentos explicaram quem eram e, dali em diante, definiram os contornos da vida por meio do relato dessa história e de sua reencenação dramática em diversas festas. Quaisquer que fossem os acontecimentos posteriores, quer opressão, sofrimento, exílio ou aparente aniquilação, a família de Abraão olhava para trás, para a história do êxodo, a fim de redescobrir quem era seu Deus e suplicar para que fizesse por eles mais uma vez aquilo que, outrora, os havia constituído como seu povo.

Parte da história consistia exatamente na descoberta do aspecto que a fidelidade e o poder resgatador de Deus adquiria na prática, ou, em outras palavras, o que YHWH, esse estranho nome de Deus, verdadeiramente significava (Êx 6.2-8). Esse Deus se tornou conhecido como resgatador, aquele que acompanhou seu povo pelo deserto, que o conduziu por meio da coluna de nuvem e de fogo, que lhe deu sua lei, sua expressão de si mesmo no modo de vida a ser adotado por seu povo. A narrativa do êxodo abarcava dentro de si, portanto, a história de duas maneiras pelas quais o Deus verdadeiro estava presente e ativo no mundo e em Israel: a "Shekiná", a glória de Deus que "tabernaculava" na tenda no deserto e, posteriormente, no templo em Jerusalém; e a Torá, que expressava a vontade de Deus para Israel, a lei de Moisés. Além disso, um forte elemento da narrativa era a crença de que o Espírito de Deus repousava sobre Moisés e habitava nele (e em alguns de seus colegas), capacitando-o para que liderasse o povo de Deus. Essas três manifestações da presença e do amor resgatador de YHWH — a Presença de Deus, a Lei de Deus, e o Espírito de Deus, todos apresentados com destaque na história de resgate e liberdade, isto é, na narrativa do êxodo — distinguem a percepção judaica da identidade de seu Deus das teologias de nações vizinhas.

Em vários trechos das Escrituras judaicas e em textos judaicos pós-bíblicos, essas três maneiras de pensar a presença e a atividade salvadora de Deus no mundo e em Israel eram ligadas de forma próxima a outras duas: a Palavra de Deus e a Sabedoria de Deus. Ambas são associadas à criação e vistas como formas diferentes de dizer aquilo que era articulado por meio da Shekiná e da Torá. Juntas, essas cinco maneiras constituem não um sistema filosófico, mas uma narrativa central. Ao recontar e reviver essa narrativa em liturgia e festa, em leitura, cântico e oração, Israel reavivava a percepção da presença de Deus. Arraigava-se novamente nas ações resgatadoras de YHWH no passado; orava, com frequência em situações extremas, por sua ajuda resgatadora no presente; e esperava pela vitória final de Deus no futuro e pela libertação final de Israel de tudo o que escravizava a nação.

A essa imagem judaica do único Deus verdadeiro devemos acrescentar agora dois outros elementos característicos de alguns escritos judaicos do período do segundo templo. Primeiro, havia a expectativa da volta de YHWH a Sião depois de ele ter abandonado Jerusalém na época do exílio. Segundo, havia a tradição da entronização de YHWH e de alguém que, de algum modo, compartilhava desse trono. Há um bocado a dizer sobre esses dois elementos, mas o espaço limitado requer brevidade.[2]

A volta de YHWH a Sião é um tema importante dos livros veterotestamentários exílicos e pós-exílicos. Ocupa lugar central em Isaías, especialmente nos capítulos 40—55, e no tema desenvolvido nesses capítulos, a saber, o reino de Deus. Ezequiel, o profeta que declarou de modo mais enfático que YHWH havia entregado seu povo a seu destino, tem uma visão em que ele volta ao templo escatológico recém-construído. Salmos celebra a vinda de YHWH para julgar o mundo. Ageu, diante do segundo templo que causou perplexidade e não cumpriu as expectativas a seu respeito, vê YHWH regressar para uma casa ainda mais gloriosa. Zacarias emprega imagens do êxodo — a coluna de nuvem e de fogo — para expressar como YHWH voltará para habitar com seu povo e defendê-lo, e apresenta uma situação apocalíptica em que YHWH virá com todos os seus santos para se tornar rei de toda a terra, governando a partir de Jerusalém. Malaquias promete que o Senhor a quem Israel busca virá de modo repentino a seu templo, embora sua vinda traga não apenas salvação, mas também julgamento.

Contudo, a volta geográfica do exílio, quando ocorreu durante o reinado de Ciro e de seus sucessores, não foi acompanhada de manifestações como as de Êxodo 40, Levítico 9, 1Reis 8 ou mesmo Isaías 6. Em nenhum momento ouvimos dizer que a coluna de nuvem e de fogo que acompanhou os israelitas no deserto conduziu o povo de volta do exílio. Em nenhum momento ouvimos dizer que YHWH regressou gloriosamente a Sião. Em nenhum momento a casa volta a se encher com a nuvem que encobre a glória divina. Em nenhum momento o templo reconstruído é aclamado como o verdadeiro santuário restaurado do qual Ezequiel falou. Nenhuma festa foi criada para marcar o início da nova grande era. E, de modo significativo, em nenhum momento há uma vitória final decisiva sobre os inimigos de Israel ou o estabelecimento de uma dinastia real universalmente aceita. Templo, vitória e reinado permaneciam entrelaçados, mas a esperança que representavam continuava por se concretizar. Não é de surpreender, portanto, que a tradição escriturística que se refere claramente à volta de YHWH a Sião depois do exílio tenha continuidade nos escritos pós-bíblicos. Essa expectativa continuava a ser fundamental no judaísmo do tempo de Jesus.

Se YHWH agisse dentro da história, e se o fizesse por meio de um agente escolhido, como esse agente escolhido poderia ser descrito? Esse é o segundo aspecto do pensamento do judaísmo do primeiro século que nos ajuda a entender o contexto do ato simbólico de Jesus e das narrativas e enigmas dos quais ele cercou esse ato.

De acordo com alguns textos do período em questão, quando YHWH agisse na história, o agente por meio do qual ele atuasse seria vindicado, exaltado e honrado de uma forma nunca antes vista. Esse é um tema à parte, e preciso me contentar em apontar para uma direção geral com alguns exemplos específicos.

Há uma gama complexa de textos judaicos de diferentes períodos que especulam a respeito da exaltação e da entronização celestial de uma figura que talvez seja um anjo ou um ser humano. Essas especulações se desenvolvem a partir da meditação e da discussão sobre determinados textos fundamentais, como Ezequiel 1, em que o profeta recebe uma visão da carruagem-trono de YHWH, e Daniel 7, em que "alguém semelhante a um filho de homem" é apresentado ao "Ancião" e compartilha de seu trono. Essas especulações formavam o conteúdo básico de toda uma tradição de misticismo judaico e das investigações teológicas e cosmológicas que a acompanhavam.

Por vezes, o texto fala de uma jornada mística, de pessoas que procuram alcançar a visão do único Deus verdadeiro. Por vezes, falam de um ser humano que compartilha do trono do Deus de Israel. Várias linhas da tradição contam a história de Moisés dessa forma; algumas falam até dos mártires ou dos piedosos. Em uma narrativa conhecida, que ocorre em diversas formas e diversos períodos, o grande rabino Akiba propõe que os "tronos" mencionados em Daniel 7.9 são "um para Deus, um para Davi". É evidente que Akiba tinha um candidato em mente: Bar-Kochba, que ele aclamava como Messias, "filho da estrela". Outros mestres judeus do mesmo período parecem ter especulado sobre a possibilidade de uma pluralidade de "poderes" no "céu".

A extensão dessas especulações ainda é tema de controvérsia. A questão central, porém, é clara: coisas desse tipo eram imagináveis; não eram obviamente autocontraditórias, nem eram consideradas, necessariamente, uma ameaça ao que os judeus do segundo templo entendiam como "monoteísmo". Eram tentativas de descobrir o que esse monoteísmo verdadeiramente significava na prática. Portanto, a partir de um conjunto muito mais amplo e extremamente complexo de especulações acerca da ação do Deus de Israel por meio de várias figuras de mediadores, uma possível situação que alguns judeus do segundo templo consideravam pelo menos imaginável era que a vitória terrena e militar do Messias sobre os pagãos aconteceria de forma semelhante à cena de entronização apresentada em Daniel 7, um desdobramento da visão da carruagem em Ezequiel 1.

Uma coisa deve ficar clara com base nesse breve levantamento das crenças judaicas do primeiro século a respeito do significado do termo "Deus" (ou talvez devamos dizer a respeito do caráter e da atividade de YHWH). O monoteísmo judaico era muito mais complicado do que imaginavam aqueles que observaram de modo tão superficial que, pelo fato de os judeus serem monoteístas, eram incapazes de conceber que um ser humano fosse divino. De igual modo, deve ficar claro que pegar algumas expressões do Evangelho de João e de outras passagens e afirmar com base nelas que Jesus simplesmente "afirmava que era divino" é excessivamente simplista e pode muito bem, por implicação, adotar conceitos semelhantemente enganosos do significado de "divindade". A forma de avançar nesse estudo é mais complexa, mas, em última análise, muito mais gratificante do que indicam as velhas linhas de batalha.

Conceitos cristãos primitivos de Jesus e de Deus

Tudo indica que os primeiros cristãos logo chegaram à conclusão espantosa de que tinham a obrigação, sem deixar de ser judeus monoteístas, de adorar Jesus. É preciso abandonar a premissa ultrapassada de que isso só pode ter acontecido na proporção em que abandonaram seu judaísmo e permitiram que ideias pagãs se infiltrassem sorrateiramente. As evidências a favor do fenômeno que descrevo são extremamente antigas, sólidas e inequívocas.

Descrevi em outro texto, de modo bastante detalhado, a forma como Paulo, e muito possivelmente tradições que já eram conhecidas na época em que ele escreveu, fala de Jesus não apenas ao mesmo tempo que faz declarações sobre o Deus único do monoteísmo judaico, mas *dentro* dessas declarações. As principais passagens são 1Coríntios 8.1-6, Filipenses 2.5-11, Gálatas 4.1-7 e Colossenses 1.15-20, embora, uma vez que captamos essa ideia, seja possível encontrar outras evidências claras, ainda que não dramáticas, do mesmo fenômeno em várias outras partes de seus escritos.[3] Tanto nessas passagens quanto em outras, Paulo não se afasta de maneira nenhuma do monoteísmo judaico que conhecemos com base em fontes bíblicas e pós-bíblicas; também não cai em paganismo, que permitiria o acréscimo de outros "deuses" ao panteão, nem em dualismo, em que um Deus bom sofreria oposição de um deus mau, o redentor (talvez) em contraste com o criador. Para Paulo, "há somente um Deus, o Pai, de quem vieram todas as coisas criadas e para quem vivemos. E há somente um Senhor, Jesus Cristo, por meio de quem todas as coisas foram criadas e por meio de quem recebemos vida" (1Co 8.6). Essa adaptação impressionante da oração judaica conhecida como Shemá ("Ouça, ó Israel! O Senhor, nosso Deus, o Senhor é único") enfatiza que criação e redenção se originam igualmente do Pai e são igualmente efetuadas por meio de Jesus e resume, no estágio mais inicial do cristianismo do qual temos evidências sólidas, tudo o que gerações e séculos posteriores procuraram, a duras custas, dizer a respeito de Jesus e de Deus. Desse ponto em diante, temos de dizer que, se não existisse uma teologia trinitária, teria de ser criada. Aliás, com efeito, foi o que a primeira geração de cristãos fez ao adorar Jesus dentro da estrutura de monoteísmo judaico.[4]

Mas onde tudo começou? De onde tiraram a ideia de que deviam proceder dessa forma? Remonta, em algum sentido, ao próprio Jesus? Essa é a pergunta fundamental no cerne do presente capítulo, e estamos quase preparados para tratar dela.

Quase, mas não inteiramente. Primeiro, precisamos identificar e acompanhar três vias falsas.

As duas primeiras já foram mencionadas.[5] É comum supor que, entre cristãos e não cristãos, o termo "Messias" tem a conotação de "divindade", e portanto, se pudermos mostrar que Jesus se considerava o Messias, significa que ele se considerava divino. Não é o caso. Tanto quanto sabemos, aspirantes a Messias no judaísmo do segundo templo não se enxergavam dessa forma, e seus seguidores não lhes atribuíam divindade. Se Bar-Kochba é exceção, como indiquei anteriormente, ele aparece como inovação radical (que deixa o cristianismo em si fora da equação) dentro da tradição. E, uma vez que a expressão "filho de Deus" nesse período era um título messiânico, não transmitia, de si mesma, as nuanças de "divindade" percebidas posteriormente pela teologia cristã. (A transição de um significado puramente messiânico para um significado que une Messias e encarnação começa no Novo Testamento, especialmente nas passagens relacionadas acima; talvez remonte a Jesus, como veremos; contudo, esse significado não pode ser entendido a partir da expressão propriamente dita dentro de seu contexto judaico.)

A terceira via falsa é a ressurreição, da qual tratarei no capítulo seguinte. Repetidamente ouvimos a proposta de que a ressurreição prova, de algum modo, a divindade de Jesus, e portanto afirmar ou negar uma é afirmar ou negar a outra. Esse erro acompanha facilmente o anterior, por exemplo, na interpretação equivocada da observação de Paulo de que, por meio da ressurreição, foi demonstrado que Jesus era "Filho de Deus" (Rm 1.4); o que Paulo queria dizer era que Jesus foi publicamente designado *Messias* por meio desse acontecimento. Nada na expectativa judaica de ressurreição dá a entender que, ao deparar com alguém ressuscitado, que tivesse um novo tipo de vida depois da morte, seria natural concluir que essa pessoa devia ser divina em algum sentido. Pelo contrário: a ressurreição era o que devia acontecer a todos os mortos, ou pelo menos a todos os mortos justos, e não há indicação de que ela constituísse, simultaneamente, divinização. Não. A ressurreição despertou os abatidos discípulos de Jesus para a realidade de que Jesus era, verdadeiramente, o Messias; com base nisso, concluíram que ele era o Senhor do mundo, como sempre se supôs que o Messias fosse, e que sua morte, em vez de ser uma derrota vergonhosa, na verdade foi a estranha, mas gloriosa, vitória sobre todas as forças do mal; e, a partir dessa combinação de crenças, eles prosseguiram em direção ao desconhecido, para declarar que, pelo fato de Jesus ter realizado o poderoso ato salvífico que só podia ser obra pessoal de YHWH, o Deus do êxodo, Jesus devia, de algum modo, ser identificado como manifestação pessoal, como encarnação, do único Deus de Israel. A ressurreição foi essencial para o início dessa linha de raciocínio, mas não "significava", de si mesma, que Jesus era divino.

No entanto, a ressurreição, ao deixar claro que Jesus era o Messias, tinha ligação com uma profecia específica da Bíblia, importante dentro de algumas linhas do judaísmo do segundo templo e que se tornou igualmente importante no cristianismo primitivo. É interessante que ela aponta para uma forma de entender a percepção de Jesus de sua identidade, algo que eu e outros consideramos proveitoso. Em uma passagem conhecida, aliás clássica, Davi entra em diálogo com YHWH. Davi tem a intenção de construir uma casa para YHWH, para que, em vez da tenda móvel, resquício do período no deserto, YHWH pudesse viver em uma casa fixa apropriada (2Sm 7.1-3). Evidentemente, essa ideia é repleta de nuanças, com destaque para o desejo de Davi de consolidar seu governo e seu poder, bem como o prestígio de sua nova capital, Jerusalém, no meio de todas as tribos de Israel. Talvez parcialmente por esse motivo a resposta, comunicada por intermédio do profeta Natã, seja negativa; Davi não deve construir uma casa para Deus. O ponto mais importante, contudo, é que a oferta de uma casa é invertida. YHWH construirá uma casa para Davi, mas não será uma casa de madeira de lei, pedra e painéis (Davi já tem uma casa desse tipo); antes, será uma "casa" com o sentido de *família*. Mais especificamente, YHWH dará a Davi um filho que será rei depois dele; esse filho construirá o templo no qual YHWH poderá habitar. Além disso, YHWH o adotará como filho (2Sm 7.11-14).[6]

O versículo fundamental para o argumento que estamos desenvolvendo é 2Samuel 7.12. Após a morte de Davi, diz YHWH, "escolherei um de seus filhos, de sua própria descendência, e estabelecerei seu reino". O termo hebraico traduzido pelo verbo "escolher" também significa "levantar" e não tinha, na época suposta da redação de 2Samuel, nenhuma conotação específica de "ressurreição". Mas, quando o Antigo Testamento foi traduzido para o grego, entre duzentos e trezentos anos antes do tempo de Jesus, o versículo foi traduzido por *kai anasteso to sperma sou*, "e eu ressuscitarei sua descendência". Uma vez que essa foi aproximadamente a época em que começou a se desenvolver a crença judaica na ressurreição, é arrazoado supor que talvez os tradutores, e certamente os judeus que liam 2Samuel nessa versão, considerassem a passagem uma profecia de que Deus ressuscitaria o verdadeiro e supremo "descendente" de Davi e que esse "descendente" ressurreto seria, em algum novo sentido, filho de Deus.

Esse encadeamento ainda não nos leva, contudo, até o ponto principal. O que temos de fazer agora é refletir, reconhecidamente com o olhar retrospectivo dos primeiros cristãos, sobre o significado da resposta de Deus a Davi. O rei Davi estava se oferecendo para construir uma casa de madeira e pedra como lugar de habitação para Deus. De acordo com a resposta de Deus, essa questão era secundária; o que importava era que ele, Deus, construiria uma "casa" para Davi, que consistiria, em última análise, no filho de Davi que seria filho de Deus. E, como propõe a tradução grega Septuaginta, esse filho seria conhecido por ser ressuscitado.

Se lermos essa história pela perspectiva de um cristão primitivo, o que veremos? Que o templo, apesar de sua imensa importância e centralidade dentro do judaísmo, era, afinal de contas, uma indicação da realidade, e essa realidade era o filho ressurreto de Davi, isto é, o filho de Deus. Em outras palavras, Deus não habitará de modo absoluto em um templo feito por mãos humanas, uma casa de madeira e pedra. Deus habitará, sim, com seu povo e permitirá que sua glória e seu mistério "tabernaculem" no meio de seu povo; contudo, o modo mais apropriado de ele fazê-lo não será por meio de um edifício, mas por meio de um ser humano. E o ser humano em questão será o Messias, evidenciado pela ressurreição. Proponho que esse é, aproximadamente, o modo como raciocinavam os cristãos primitivos. Jesus e, logo em seguida, o povo de Jesus eram agora o verdadeiro templo, e portanto o edifício em Jerusalém era redundante. É de suma importância lembrar que o templo era, afinal, o símbolo "encarnacional" mais importante do judaísmo. De acordo com a crença judaica tradicional, arraigada nas Escrituras e celebrada em festas e liturgia regulares, o templo era o lugar em que o céu e a terra se interligavam, o lugar em que o Deus vivo havia prometido estar presente com seu povo.

Agora, estamos prontos para, finalmente, tratar de Jesus. Que sinais há no propósito e na vocação dele de que essa linha de raciocínio teve origem nele, e não foi projetada sobre ele pela igreja primitiva?

A vocação e o conceito que Jesus tinha de si próprio

Um elemento de grande importância para tudo o que vem a seguir é a proposta de que Jesus, no centro de sua vocação, se considerava chamado para fazer e ser, em relação a Israel, aquilo que, nas Escrituras e na crença judaica, o templo fazia e era. Se, portanto, o judaísmo tinha um grande símbolo encarnacional em seu cerne, a saber, o templo, o fato de Jesus eclipsar o templo, assumir seu papel e sua função e legitimar esses atos com asserções davídicas era o mesmo que Jesus dizer que ele, e não o templo, era o lugar e o meio pelo qual o Deus vivo estava presente com Israel.

Em certos aspectos, é mais fácil desenvolver esse conceito de trás para a frente, dos acontecimentos da última semana da vida de Jesus para as alusões em momentos anteriores do ministério. Mas, para manter a brevidade deste capítulo, na esperança de que os leitores se interessem por acompanhar o argumento e desenvolvê-lo em mais detalhes por própria conta, podemos começar com um dos elementos centrais do ministério itinerante de Jesus. Ele oferecia às pessoas "perdão de pecados", não apenas ao pronunciar esse perdão, mas também ao realizar suas ações mais características: acolher "pecadores" de todo tipo e fazer refeições com eles. Em outras palavras, ele oferecia a bênção que costumava ser obtida ao se ir para o templo ou, no mínimo (durante a Diáspora), ao se orar voltado para ele. Não podemos deixar passar despercebida a enormidade desse fato. Não foi meramente uma democratização do ritual religioso no templo; em certo sentido, os fariseus também ofereciam isso, pois afirmavam que, quando alguém estudava a Torá, não importava onde se encontrasse no momento, estava na presença de Deus da mesma forma que quando ia ao templo (veja abaixo). Antes, foi a oferta da realidade da nova aliança da qual o templo era a placa sinalizadora na antiga aliança. Aquilo que o indivíduo podia obter no templo — e precisaria obter novamente depois de mais uma rodada de pecado e impureza —, ele podia ter no presente e para sempre ao aceitar o acolhimento de Jesus, ao crer nele e segui-lo. Jesus era a personificação daquilo que o templo representava.

A aparente exceção comprova a regra (Mt 8.4; Mc 1.44; Lc 5.14). Quando Jesus instrui o leproso curado a se apresentar ao sacerdote e oferecer o sacrifício ordenado por Moisés como prova da cura, o motivo deve ser evidente. Jesus não estava se sujeitando à autoridade superior do templo. A cura já havia sido realizada. Antes, o leproso precisava ser readmitido na vida social comum de sua vila e, se ele simplesmente dissesse a familiares e amigos que havia sido declarado "curado" por um suposto profeta itinerante, é possível que não acreditassem nele. A fim de ser reintegrado em seu mundo social, ele precisava de um carimbo oficial das autoridades reconhecidas. Porém em outros casos — em que cegos passaram a enxergar e aleijados foram curados, e assim por diante — não havia necessidade de fazer mais nada. A cura era evidente.

Essas ações, e o perdão e o acolhimento que elas representavam, faziam parte do ministério total mais amplo de Jesus. Sua proclamação do reino, da qual tratamos nos capítulos 2 e 3, tinha em seu âmago a asserção de que o Deus de Israel já estava presente e ativo de uma nova maneira havia muito prometida e pela qual Israel havia esperado. A recusa de Jesus em jejuar nos dias que lembravam a destruição do templo mostrou, ainda que de modo enigmático, que ele considerava seu próprio ministério, em certo sentido, a construção de um novo templo. Sua oposição implícita à casa de Herodes (ver, p. ex., Mt 11.2-15), ao se apresentar como verdadeiro rei dos judeus em lugar daquilo que ele e muitos outros viam como uma paródia de reinado judaico, era oposição à dinastia que, na sucessão ao regime macabeu, estava reconstruindo e embelezando o templo de Jerusalém como parte de sua tentativa de se legitimar como verdadeira dinastia real de Israel. As advertências solenes e frequentes de Jesus a respeito do destino de Jerusalém em geral e do templo de modo específico, levavam os ouvintes a perguntar não apenas quem ele imaginava que era para pronunciar esse julgamento (um profeta? o Messias?), mas também o que ele imaginava que YHWH colocaria no lugar do templo. Assim que fazemos essa pergunta, a resposta de Jesus deve ficar evidente. YHWH não construiria um novo templo para substituir o antigo (como parece ser imaginado, por exemplo, nos papiros de Qumran). YHWH substituiria todo o sistema com uma nova comunidade constituída de Jesus e seu povo.

Tudo isso significava — e esse significado é repleto de importância encarnacional — que, quando Jesus fosse a Jerusalém, era inevitável que houvesse um confronto entre ele e o templo. A cidade e o sistema simplesmente não eram grandes o suficiente para que os dois coexistissem. Em última análise, não podia haver dois lugares, dois meios, para que o único Deus habitasse com seu povo, e o fizesse com amor perdoador e restaurador, estendendo a mão para o mundo, como havia pretendido desde o início. A crítica do templo feita por Jesus foi mordaz, e as muitas corrupções dentro do sistema do templo de sua época levaram outros judeus a se enfurecer com seus governantes e o modo como o templo era administrado; contudo, Jesus foi além de críticas específicas e fez uma confrontação escatológica. Quando a realidade se materializa, o que acontece com aquilo que apontava para ela?

A ação de Jesus na sala no andar superior se torna ainda mais expressiva, portanto, quando a vemos, em alguns aspectos, como sua alternativa para o ritual religioso no templo. Ela acontece depois de sua ação no templo, com a encenação simbólica daquilo que substituiria o edifício e tudo o que ele representava: a celebração do novo êxodo, em que ele próprio conduziria seu povo pelo mar Vermelho final e à terra prometida. Jesus não estava sendo apenas o novo Moisés. Agia como se sua vocação consistisse em ser a coluna de nuvem e de fogo que conduziu o povo à liberdade.

Minha conclusão com base nesse breve levantamento das evidências é que Jesus se considerava chamado a agir como o novo templo. Quando as pessoas estavam em sua presença, era como se estivessem no templo. Mas, se o templo era o maior de todos os símbolos encarnacionais de Israel, a conclusão era inevitável (embora a natureza enigmática das ações de Jesus significasse que as pessoas só perceberiam de forma gradativa o que ele tinha em mente): Jesus estava afirmando, pelo menos implicitamente, que ele era o lugar e o meio pelo qual o Deus de Israel estava, enfim, presente de forma pessoal para seu povo e com ele. Jesus assumiu o risco enorme de agir como se ele fosse a Shekiná em pessoa, a presença de YHWH "tabernaculando" com seu povo.

À luz de tudo isso, podemos observar de modo bem mais sucinto os outros quatro símbolos por meio dos quais os judeus daquela época consideravam que YHWH estivesse presente e ativo em seu meio e, aliás, no mundo como um todo.

Primeiro, temos a Torá. Como Jacob Neusner mostrou notavelmente, a maneira como Jesus ofuscou a Torá mosaica em seu ensino (de modo mais marcante, porém não exclusivo, no Sermão do Monte) indica que ele considerava que exercia autoridade sobre a Torá e era autorizado a apresentar uma nova versão dela de uma forma que o tornava não um novo Moisés, mas, em algum sentido, um novo YHWH.⁷ Por certo, no tempo de Jesus a Torá também era (usando uma referência simplificada, porém não inapropriada) um símbolo encarnacional do judaísmo: era não apenas a palavra de Deus, mas a presença viva da palavra de Deus com o povo de Israel e em favor dele. Anunciar e encarnar uma nova Torá, certamente vinculada à antiga, mas que ia claramente além dela em vários aspectos (Mt 5.17-20), correspondia a Jesus fazer a asserção implícita de que o Deus vivo estava presente de algum modo em seu ensino e em sua presença como mestre. Essa é a asserção resumida em um pronunciamento atribuído a Jesus que tem um paralelo notável em um ditado rabínico (provavelmente posterior). "Onde dois ou três se reúnem em meu nome", Jesus declara, "eu estou no meio deles" (Mt 18.20). "Onde dois se assentam juntos e as palavras da lei são pronunciadas entre eles", declarou o rabino Ananias ben Teradion, "a Shekiná está no meio deles."⁸ Esse ditado quase certamente teve origem no período depois da destruição do templo, e mostra como a Torá podia ser o meio da presença de YHWH para um povo desprovido dessa presença em todos os outros aspectos. O pronunciamento de Jesus ofusca, simultaneamente, a Torá e o templo. Reunir-se em nome dele — supostamente o que se tem em mira é um grupo de seguidores de Jesus em determinado vilarejo por onde ele passou — é equivalente a estudar a Torá; sua presença com eles é equivalente à presença de YHWH no templo.

O mesmo se aplica, de modo ainda mais sucinto, a outra linguagem de Deus usada no judaísmo. "O lavrador lança sementes ao anunciar a mensagem" (Mc 4.14); o ministério de Jesus é entendido como manifestação da palavra de Deus, palavra que cria, cura e restaura, evidente na criação do mundo e prometida pelos profetas como o meio da grande restauração vindoura (ver Sl 33.6; Is 40.8; 55.11). Jesus cura com "uma ordem", o que é considerado sinal de autoridade pessoal espantosa (Mt 8.8,16). De modo semelhante, Jesus age pelo Espírito: "Se expulso demônios pelo Espírito de Deus, então o reino de Deus já chegou até vocês" (Mt 12.28).⁹ E a linguagem de seu ensino traz à memória, com frequência, a linguagem da verdadeira Sabedoria, que subverte a sabedoria convencional com a exortação para confiar em Deus e agir conformemente; agora, porém, a Sabedoria parece consistir em ouvir as palavras de Jesus, crer em sua mensagem escatológica e agir de acordo com ela.[10]

Logo, os três primeiros Evangelhos dão testemunho, ainda que de forma enigmática, do reuso que Jesus faz, em relação a sua obra, das cinco maneiras que o judaísmo de sua época se referia à presença e à atividade de YHWH no mundo. Essa ideia precisa ser inserida, obviamente, no contexto mais amplo de sua pregação escatológica, sua proclamação de que o reino estava irrompendo no mundo por meio de sua obra; com isso, descobrimos que essas alusões encontram um lugar apropriado. São, na verdade, a ponta do *iceberg*. Jesus, em toda a sua carreira pública, atuou como se estivesse realizando o novo êxodo. O povo de Deus se encontrava em escravidão; ele ouviu seu clamor e estava a caminho para resgatá-lo. Assim como o primeiro êxodo revelou o significado outrora oculto do nome de YHWH, agora Jesus revelaria a pessoa — ou, poderíamos dizer, a personalidade — de YHWH em ação, encarnado em forma humana. Ele realizaria a redenção final do povo de Deus e, com ela, desencadearia o cumprimento do destino de Israel de ser luz para o mundo todo.

Esse tema importante ganha proeminência na última grande jornada de Jesus a Jerusalém. No capítulo 3, propus que sua ação no templo constituiu um símbolo decisivo de sua reivindicação messiânica, sua convicção de que era seu destino resumir em si mesmo a longa história de Israel. Propus, acima, que essa ação era ligada a sua crença de que havia sido chamado a substituir o templo com sua presença e atividade. Também argumentei que a magnífica refeição simbólica na sala no andar superior tinha por objetivo representar sua crença de que, por meio de sua morte, seria realizada a redenção de Israel e, consequentemente, do mundo. Proponho, agora, que essas duas ações foram, na verdade, os momentos simbólicos culminantes (ambas apontam, evidentemente, para a cruz e a ressurreição como seu cumprimento) de uma ação simbólica ainda maior e mais importante. A meu ver, a última grande jornada de Jesus para Jerusalém tinha por objetivo simbolizar e encarnar a volta de YHWH a Sião, esperada de longa data. A intenção era que essa jornada, com seu ápice nas ações no templo e na sala no andar superior e realizada com plena consciência das prováveis consequências, atuasse da mesma forma que o ato de Ezequiel ao deitar-se de lado, ou o ato de Jeremias ao despedaçar o vaso. A ação do profeta *encarnava* a realidade. Jesus não se contentou em *anunciar* que YHWH estava voltando a Sião. Sua intenção era encenar, simbolizar e personificar esse acontecimento culminante. E ele acreditava, e o disse em linguagem devidamente codificada, que seria vitorioso e compartilharia do trono do Deus de Israel.

Não tenho como desenvolver em detalhes a argumentação a favor dessa proposta.[11] Basta dizer que, quanto mais estudo as histórias que Jesus contou sobre um rei, ou um senhor, que volta para ver como seus súditos ou servos estão se saindo em suas tarefas, mais tenho convicção de que sua intenção original era bem diferente da interpretação que tantos comentaristas cristãos oferecem de que essas são predições da *segunda* vinda de Jesus, em que a igreja é representada pelos súditos ou servos que aguardam sua volta e esperam algum tipo de julgamento. O argumento a favor dessa releitura das parábolas em questão é detalhado demais para ser reproduzido aqui, e precisa ser estudado dessa forma detalhada para evitar conclusões precipitadas; mas podemos desenvolver um ou dois pontos que, no mínimo, abrirão caminho para que a ideia chegue à mente surpresa daqueles que deparam com ela aqui pela primeira vez.

Primeiro, permita-me ser o mais claro possível (uma vez que, em muitas ocasiões, fui interpretado equivocadamente nessa questão): não considero essa releitura das parábolas do rei/senhor que volta como negação da "segunda vinda" de Jesus.[12] Muito pelo contrário. A crença de que, por fim, o Deus criador recriará todo o cosmo é firme e profundamente arraigada no Novo Testamento, especialmente em passagens como Romanos 8, 1Coríntios 15 e Apocalipse 21—22. Não creio, porém, que Jesus tenha falado a respeito desse acontecimento futuro como tal (exceto na medida em que falou ocasionalmente, de forma geral, a respeito da redenção completa que nós, com olhar retrospectivo, sabemos que ainda se encontra no futuro). Mesmo tendo em conta que os ouvintes de Jesus nem sempre entendiam o que ele dizia, é bastante improvável que ele tenha procurado explicar às pessoas que não haviam compreendido o fato de sua morte iminente que ela seria seguida de um período indefinido depois do qual ele "voltaria" de uma forma espetacular, para a qual nada em sua tradição as havia preparado.

De modo específico, não creio que essas parábolas — penso especialmente em Mateus 25.14-30 e seu paralelo em Lucas 19.11-27, isto é, a(s) parábola(s) do rei/senhor que encarrega seus servos de algumas tarefas e depois volta para avaliar seu desempenho — ensinem essa verdade importante. Creio que tinham como seu objetivo inicial, definido por Jesus, dizer algo ainda mais importante e (em sua situação) ainda mais urgente: assim como ele estava indo a Jerusalém pela última vez, YHWH estava, por fim, cumprindo o que havia prometido e voltando a Sião para julgar e salvar. Portanto, a tônica da parábola é associada à advertência de Malaquias: "Então, de repente, o SENHOR a quem vocês buscam virá a seu templo [...]. Mas quem poderá suportar quando ele vier?" (Ml 3.1-2).

Fica bastante claro que pelo menos Lucas entendeu a parábola dessa forma.[13] A cena toda (sempre vale a pena olhar para a tela em que Lucas, artista por excelência, pinta suas imagens) tem como propósito voltar o olhar para a figura de Jesus entrando em Jerusalém aos prantos, montado em um jumento, enquanto as multidões entoam salmos de louvor. E as palavras de advertência que ele pronuncia deixam claro que, pelo menos na perspectiva de Lucas, essa cena é a volta de YHWH a Sião. Jesus declara que seus inimigos não deixarão pedra sobre pedra em Jerusalém, "pois você não reconheceu que Deus a visitou" (Lc 19.44). "Visitou" é um termo técnico que expressa a vinda do próprio YHWH; não é apenas uma "visita" a seu povo de modo informal, mas uma "visita" no sentido mais antigo e mais incômodo de voltar para acertar as contas com ele e conduzir todas as coisas a sua devida conclusão. Essa parábola e outras semelhantes advertiam Israel de que o momento havia chegado; finalmente YHWH estava regressando, mas essa "vinda" significaria não apenas resgate e bênção para Israel, mas também julgamento terrível para aqueles que haviam recusado "o caminho para a paz" (Lc 19.42).

Tudo isso nos permite pelo menos abordar, e talvez entender, alguns dos pronunciamentos extremamente enigmáticos que se diz que Jesus fez nos últimos dias de sua vida. Interrogado por escribas, fariseus e saduceus sobre vários assuntos, Jesus lhes pergunta: "Por que os mestres da lei afirmam que o Cristo é filho de Davi?" (Mc 12.35). De acordo com o salmo 110, o Messias compartilhará do trono de YHWH ao assentar-se a sua direita. Jesus parece imaginar, como cumprimento da vocação messiânica que ele tomou para si e que o levou a essa jornada a Jerusalém, que ele será entronizado à direita de YHWH. Esse significado deve ser transposto para a cena de julgamento em que, em Marcos 14.62 e textos paralelos, Jesus prediz que Caifás e seus colegas o verão ser vitorioso, "sentado à direita do Deus Poderoso", isto é, à direita de Deus como no salmo 100, e "vindo sobre as nuvens do céu", como em Daniel 7. O tribunal verá Jesus receber vitória e ser entronizado.

Temos de tomar cuidado para não compreender equivocadamente o que a passagem de Daniel significa nesse contexto. Como vimos no capítulo 2, em Daniel 7 a "vinda" do Filho do Homem é um movimento "para o alto", e não "para baixo". Não há nenhum motivo para supor que em Marcos 14 ou em outras partes dos Evangelhos essa ideia tenha sido invertida (assim como não há motivo para supor que o desenvolvimento dessa argumentação é sinônimo de negação da "segunda vinda" de Jesus; antes, é apenas uma negação de que a passagem em questão ensina essa verdade). Jesus não está predizendo que, um dia, literalmente voará do céu para a terra em uma nuvem literal. Semelhantemente, seria errado supor que Jesus estava dizendo a Caifás e a seus colegas que, um dia, eles o veriam assentado em um trono físico. Eles veriam acontecimentos carregados de significado associado a Deus, ao templo e a Jesus; os acontecimentos deste mundo, desde o surgimento da igreja pós-Páscoa até a queda de Jerusalém, que mostrariam sem sombra de dúvida que o Deus de Israel havia exaltado Jesus, o havia vindicado depois de seu sofrimento e o havia ressuscitado para compartilhar de seu próprio trono. A ressurreição de Jesus, e tudo o que decorreu dela, seriam as provas de que Jesus estava certo desde o início.

Proponho que esse é o verdadeiro motivo da acusação de blasfêmia feita no julgamento de Jesus. Declarar-se Messias não era blasfêmia (podia ser insensatez; podia ser pessoal ou politicamente perigoso, mas não era, por si mesmo, uma afronta a YHWH). Ameaçar o templo talvez chegasse mais perto — afinal, devia ser a casa de YHWH —, mas não havia motivo para supor que fazer essa ameaça verdadeiramente constituísse blasfêmia. A meu ver, o que levou Caifás a rasgar suas vestes e apressou a declaração, pelo tribunal, do veredicto (alterado astutamente de veredicto teológico para político, ao qual Pilatos teria de dar atenção) foi o fato de Jesus, em resposta à pergunta sobre sua ação no templo e à pergunta sobre sua suposta messianidade, ter citado lado a lado os dois textos que, como sabemos com base no mundo judaico daquela época, podiam ser usados para falar da entronização, ao lado do próprio YHWH, do agente por meio do qual a redenção seria realizada.[14]

Tudo isso nos leva de volta ao ponto em que começamos. As ações de Jesus durante a última semana de sua vida focalizaram o templo. O judaísmo tinha dois grandes símbolos da encarnação: o templo e a Torá. Ao que parece, Jesus acreditava que era sua vocação ofuscar um e ultrapassar o outro. O judaísmo falava da presença de Deus no meio do povo na coluna de nuvem e de fogo e na Presença ("Shekiná") no templo. Jesus agiu e falou como se ele se considerasse um movimento de um homem só em oposição ao templo. O judaísmo acreditava que seu Deus triunfaria sobre os poderes do mal tanto dentro quanto fora de Israel. Jesus falou de sua vitória por vir, depois de seu encontro com a besta em combate mortal. Jesus também usou a linguagem do envio do Filho pelo Pai. A "parábola dos lavradores maus" podia muito bem ser chamada "parábola do Filho enfim enviado". Sua consciência, pela fé, daquele que ele chamava Aba, Pai, o sustentou em sua vocação messiânica a Israel e o levou a atuar como agente pessoal de seu Pai para Israel. Poderíamos dar outros exemplos. Ao abordar a encarnação por esse ângulo, ela não é um erro de categoria, mas o ápice apropriado da criação e da aliança. A Sabedoria, o projeto de Deus para os seres humanos, finalmente se torna, ela própria, humana. A glória Shekiná tem rosto humano. "A Palavra se tornou ser humano", diz João, "e habitou entre nós" (Jo 1.14; o termo grego *eskenosen*, que costuma ser traduzido simplesmente por "habitou", vem da raiz *skene*, "tenda" ou "tabernáculo"). A teologia de João, que volta o foco repetidamente para o templo e para a forma como Jesus cumpriu o destino do templo, é, no fim das contas, arraigada na história que desenvolvemos a partir de Mateus, Marcos e Lucas.

Conclusão

Chegou a hora de reunir os vários encadeamentos dessa argumentação, e o melhor que posso fazer é repetir aquilo que escrevi em outro lugar:

> Desenvolvi o argumento de que o alvo subjacente de Jesus se baseava em sua consciência, pela fé, de sua vocação. Ele se considerava chamado pelo

Deus de Israel para *trazer à mente* as tradições que prometiam a volta de YHWH a Sião e [...] as tradições que falavam de uma figura humana que compartilharia do trono divino; para *encenar* essas tradições em sua jornada para Jerusalém, seu ato messiânico no templo e sua morte nas mãos dos pagãos (na esperança de vitória subsequente); e com isso, para *encarnar* a volta de YHWH.[15]

Não há espaço aqui para desenvolver essa ideia, mas creio que, tomando-a como ponto de partida, poderíamos, em princípio, repassar o Evangelho de João e descobrir uma nova interpretação para várias de suas passagens centrais.

O que estou dizendo, portanto, a respeito do Jesus terreno? Proponho que, em Jesus, vemos ganhar vida o retrato bíblico de YHWH: o Deus de amor que arregaça as mangas (Is 52.10) para realizar pessoalmente a obra que ninguém mais poderia realizar; o Deus criador que dá vida nova; o Deus que opera *por meio* de sua ordem criada e, de forma suprema, por meio de suas criaturas humanas; o Deus fiel que habita no meio de seu povo; o Deus severo e terno, que se opõe implacavelmente a todos que destroem e distorcem sua boa criação e, especialmente, os seres humanos, mas que ama arrojadamente todos os necessitados e aflitos. "Como pastor, ele alimentará seu rebanho; levará os cordeirinhos nos braços e os carregará junto ao coração" (Is 40.11). Esse é o retrato veterotestamentário de YHWH, mas serve perfeitamente para Jesus.

Permita-me deixar claro, também, aquilo que *não* estou dizendo. Não creio que Jesus "soubesse que ele era Deus" no mesmo sentido que sabemos que estamos com fome ou com sede, que somos altos ou baixos. Não era um conhecimento matemático, como saber que dois mais dois são quatro; também não era conhecimento diretamente observacional, como saber que há um passarinho sobre a cerca do lado de fora de meu quarto, pois consigo vê-lo e ouvi-lo. Era mais semelhante ao conhecimento que tenho de que sou amado pelas pessoas mais próximas de mim; como o conhecimento que tenho de que o nascer do sol sobre o mar é deslumbrante; como o conhecimento do músico não apenas daquilo que o compositor pretendia, mas de como executar a peça com precisão, exatamente da forma pretendida, um conhecimento que se tem com mais segurança, é claro, quando o músico que executa a peça também é o compositor.

Era, em resumo, o conhecimento que caracteriza *vocação*. Como expressei em outro texto, "como parte de sua vocação humana, apreendida por fé, sustentada por oração, testada em confrontação, vivenciada angustiadamente com mais oração e dúvidas e colocada em ação, ele acreditava que tinha de fazer e ser, para Israel e para o mundo, aquilo que, de acordo com as Escrituras, somente o próprio YHWH podia fazer e ser".[16]

Falar da "vocação" de Jesus nos leva a um ponto bem diferente de algumas declarações tradicionais da cristologia do evangelho. "Consciência de vocação" não é, de maneira nenhuma, a mesma coisa que Jesus ter o tipo de consciência "sobrenatural" de si mesmo, do Deus de Israel e da relação entre eles que costumam imaginar aqueles que, preocupados em manter uma cristologia "elevada", a colocam dentro de um contexto de deísmo implícito do século 18, em que só é possível asseverar a "divindade" de Jesus ao adotar alguma forma de docetismo. Proponho que essa é a categoria que nos permite, finalmente, reunir o estudo histórico pleno de Jesus dentro de seu contexto no primeiro século e a rica consciência, excluída tantas vezes em nome da "história", de que Jesus considerava sua vocação ser a encarnação daquilo a que se referiam os símbolos judaicos do templo, da Torá, da Palavra, do Espírito e da Sabedoria, isto é, a presença de YHWH no mundo ou, de modo mais completo, em Israel e para o mundo. Jesus acreditava que cabia a ele concretizar aquilo que somente YHWH podia realizar: o grande novo êxodo por meio do qual o nome e o caráter de YHWH seriam plena e finalmente revelados, manifestados.

Ou, como eu disse em uma de minhas declarações mais completas desse posicionamento: a volta de YHWH a Sião e a teologia do templo que a coloca em foco são as chaves e os indícios mais evidentes da cristologia do evangelho. Coloque de lado, pelo menos por um momento, os "títulos" de Jesus; coloque de lado as tentativas de alguns cristãos bem-intencionados de tornar Jesus de Nazaré consciente de que é a segunda pessoa da Trindade; coloque de lado o reducionismo árido que alguns teólogos liberais sérios produziram como reação. Em vez disso tudo, concentre-se em um jovem profeta judeu que conta uma história sobre a volta de YHWH a Sião como juiz e redentor e, em seguida, encarna essa mensagem ao entrar na cidade em lágrimas, representando a destruição do templo e celebrando o êxodo final. Proponho que, no tocante à história, Jesus de

Nazaré tinha consciência de uma vocação, a saber, uma vocação recebida daquele que ele conhecia como "pai" para que ele encenasse em si mesmo aquilo que, nas Escrituras de Israel, Deus havia prometido que ele próprio realizaria. Jesus seria a coluna de nuvem e de fogo para o povo do novo êxodo. Ele encarnaria em si a ação de voltar e redimir, realizada pelo Deus da aliança.[17]

Para concluir, tudo isso nos leva à área que me parece parte tão essencial do trabalho cristológico atual quanto aprender a falar verazmente sobre o Jesus terreno e sua percepção de vocação. Tendo em conta esse Jesus, precisamos aprender a falar biblicamente sobre a identidade do único Deus verdadeiro.[18] Não há tarefa mais fundamental em nosso aprendizado de seguir Jesus e transformar nosso mundo com seu evangelho.

Volto agora ao que falei no início deste capítulo. A ortodoxia ocidental, especialmente naquilo que se autodenomina "evangelicalismo", teve, por muito tempo, uma perspectiva de Deus excessivamente exaltada e distante. Sua tendência sempre foi abordar a questão cristológica a partir dessa perspectiva de Deus e, então, encaixar Jesus dentro dela. Não é de surpreender, portanto, que o resultado seja um Jesus docético. Essa ocorrência, por sua vez, gerou o protesto do século 18 ("é impossível que Jesus fosse dessa forma e, portanto, tudo é baseado em um erro") e boa parte dos estudos históricos posteriores, especialmente em razão dos arranjos sociais e culturais que essa combinação de semideísmo e docetismo produziu e manteve. Essa combinação continua a ter força, em partes de minha igreja inclusive, e ainda precisa ser confrontada de forma enérgica. Não proponho que descubramos o que o termo "deus" significa e, então, encontremos uma forma de encaixar Jesus dentro desse conceito. Antes, proponho que pensemos historicamente a respeito de um jovem judeu que tinha uma vocação terrivelmente arriscada e aparentemente louca, que entra em Jerusalém em lágrimas, condena o templo e morre em uma cruz romana. E proponho que, de algum modo, permitamos que nosso significado do termo "deus" tenha esse ponto como novo centro.

Para expressar essa abordagem de outra forma, desejo recapitular e desenvolver algo que escrevi no primeiro capítulo deste livro. Depois de vinte anos de estudos sérios sobre o Jesus histórico, ainda recito os credos cristãos com sinceridade; no entanto, sei que tenho em mente um significado diferente ao repeti-los, especialmente no tocante ao termo "Deus". O retrato foi redesenhado. Em seu âmago, como é revelado nos escritos bíblicos, descobrimos um rosto humano, cercado por uma coroa de espinhos. O propósito de Deus para Israel foi consumado. A salvação é dos judeus, e veio do Rei dos judeus. A fidelidade de Deus à aliança foi revelada nas boas-novas de Jesus, que traz salvação para todo o cosmo.

Quando pintamos retratos de Deus, se cumprirem devidamente sua função eles devem se tornar ícones. Ou seja, devem nos convidar não apenas a uma avaliação impassível — embora, assim como o coração, a alma e a força, a mente também tenha de participar de nossa resposta a esse Deus — mas à adoração. É apropriado, e creio que esse Deus é digno da mais completa e rica adoração que possamos oferecer. Mas, como acontece com alguns ícones, especialmente com a famosa pintura de Rublev dos três homens que visitaram Abraão, o ponto focal da pintura não se encontra em sua parte posterior, mas no observador. Uma vez que vislumbramos o verdadeiro retrato de Deus, cabe a nós refleti-lo como comunidade e como indivíduos. Uma vez que vemos quem Jesus é, somos não apenas convocados a segui-lo em adoração, amor e devoção, mas também a moldar nosso mundo, ao refletir sobre ele a glória divina de Jesus.

A missão da igreja, da qual trataremos nos dois capítulos finais deste livro, pode ser resumida nas palavras "glória refletida". É justamente ao nos dedicar ao trabalho cristológico, ao voltar o foco para Jesus e permitir que nossa imagem de Deus seja moldada por ele, não como exercício intelectual imparcial, mas como cerne de nossa adoração, nossa oração, nosso pensamento, nossa pregação e nossa vida, que nos é permitido refletir essa glória. Quando vemos, como Paulo diz, a glória de Deus na face de Jesus Cristo, e quando redescobrimos todas as dimensões do significado dessas palavras, vemos e descobrimos essa realidade não para benefício próprio, mas para que a glória resplandeça em nós e por nosso intermédio, para levar luz e vida ao mundo que ainda espera nas trevas e na sombra da morte.

6
O desafio da Páscoa

Introdução

A questão da ressurreição de Jesus ocupa o centro da fé cristã. Não temos conhecimento de nenhuma forma de cristianismo primitivo — embora algumas tenham sido criadas por estudiosos inventivos — que não assevere, em seu cerne, que depois da morte vergonhosa de Jesus Deus o trouxe de volta à vida. Já na época de Paulo, nosso primeiro testemunho escrito, a ressurreição de Jesus não é um artigo de fé isolado. Encontra-se entretecida na estrutura da vida e do pensamento cristãos e norteia, entre outras coisas, batismo, justificação, ética e esperança futura para os seres humanos e para o cosmo.

De modo específico, a ressurreição é a resposta dada por todo o cristianismo primitivo para a quarta pergunta a respeito de Jesus que relacionamos no início deste livro. Além da relação de Jesus com o judaísmo, seus alvos e o motivo de sua morte, o historiador que estuda o primeiro século, quaisquer que sejam seus antecedentes, precisa, inevitavelmente, perguntar: Por que o cristianismo surgiu e por que se configurou da maneira que vemos? Os próprios cristãos primitivos respondem: Existimos em virtude da ressurreição de Jesus. Cabe ao historiador, portanto, investigar o que eles querem dizer com isso e que comentários históricos podemos fazer acerca dessa crença central e de importância suprema.

Enfatizo o ângulo histórico desde o início porque, evidentemente, em vários círculos se diz (aliás, se assevera) que, não importa o que tenhamos em mente quando falamos da ressurreição de Jesus, não é algo passível de investigação histórica. Como Dominic Crossan comentou a respeito do estudo sobre Jesus de modo geral, há quem diga que esse estudo não *pode* ser feito, há quem diga que não *deve* ser feito e há quem diga que não pode, mas, na verdade, acredite que não deve.[1] Chegar ao âmago dessas objeções e responder a cada uma delas em detalhes seria uma digressão grande demais dentro de um só capítulo. Desejo apenas afirmar que o historiador não é, de maneira nenhuma, impedido de investigar a ressurreição de Jesus; pelo contrário, tem a obrigação de realizar essa investigação. Sem ela, resta uma grande lacuna no centro da história do primeiro século, quaisquer que sejam as premissas do historiador.

Claro que houve muitos becos sem saída na investigação desse tema, especialmente em nível popular ou semipopular.

Barbara Thiering propôs que Jesus e os outros crucificados com ele não morreram, apesar de as pernas dos outros dois terem sido quebradas; também propôs que um deles era, na verdade, Simão, o Feiticeiro, um médico que tinha consigo um remédio que ele deu a Jesus no túmulo para reanimá-lo a fim de que desse continuidade a seu ministério, viajando com Paulo e outros, e também se casasse e tivesse filhos.[2] Essa é apenas uma variação nova e extremamente imaginativa de uma antiga hipótese, de que Jesus não morreu de verdade na cruz. Como foi mostrado com grande frequência, os romanos sabiam matar pessoas; ademais, o reaparecimento de Jesus torturado e exaurido dificilmente teria indicado a seus seguidores algo para que certamente não estavam preparados, a saber, que ele havia passado pela morte e chegado ao outro lado.

De forma semelhante, há muitos que produzem teorias para explicar que, na realidade, Jesus não ressuscitou nem deixou um túmulo vazio.

No âmbito popular, a BBC gravou um programa em meados da década de 1990 que girava em torno da descoberta, em Jerusalém, de um ossuário com o nome "Jesus, filho de José". No mesmo túmulo, havia ossuários de pessoas chamadas José, Maria, outra Maria, Mateus e alguém chamado Judá, descrito como "filho de Jesus". Não é de surpreender que, entre os céticos a respeito dessa descoberta, houvesse arqueólogos israelenses que sabiam que esses nomes eram extremamente comuns no primeiro século. Foi como encontrar John e Sally Smith na lista telefônica de Londres.

Em meados de 1996, foi publicado um livro em que dois pesquisadores intrépidos apresentavam um empolgante trabalho investigativo sobre os cavaleiros templários medievais, rosacrucianistas, maçons, gnósticos, códigos ocultos em pinturas medievais e assim por diante, tudo isso para chegar às seguintes conclusões: os ossos de Jesus estão sepultados na encosta de um monte no sudoeste da França; a verdadeira mensagem do evangelho diz respeito a como viver com integridade e alcançar ressurreição espiritual, e não física; e a igreja primitiva criou a doutrina da ressurreição física como forma de obter poder político e financeiro. O livro se chamava, por ironia, *The Tomb of God* [O túmulo de Deus]; uma vez que os ossos de Jesus estão em um túmulo na França, não há motivo para supor que ele fosse ou seja Deus. E se os autores imaginam que a crença na ressurreição era uma forma de obter poder ou dinheiro, precisam ler o Novo Testamento e refletir melhor.

Pelo menos essas incursões em pseudo-historiografia de nível popular revelam uma coisa: a questão da ressurreição de Jesus inspira fascinação perene, o que, de forma oblíqua, é uma boa notícia. Uma resenha de *The Tomb of God* começava com a declaração para os leitores de que a crença cristã na ressurreição de Jesus significava que Jesus, depois de sua morte, foi exaltado ao céu. Contudo, uma vez que tradicionalmente os cristãos acreditam que, quando morrem, sua alma "vai para o céu", mas o corpo fica para trás no túmulo, trata-se de uma observação bastante enganosa. Dá a impressão de que o que aconteceu com Jesus foi simplesmente o mesmo que acontecerá, de acordo com essa crença, com todos os cristãos assim que morrerem; certamente não era isso que os cristãos do primeiro século pensavam. Esse fato não impede muitos, em nível popular, de imaginar que "Jesus ressuscitou" é apenas uma forma bonita de dizer "Jesus foi para o céu quando morreu".

Em nível acadêmico mais sério há, evidentemente, um bocado de discussão em andamento acerca da ressurreição. A tendência, porém, é de que essa discussão aconteça em estudos de filosofia ou de teologia sistemática, como os textos de Jürgen Moltmann e Wolfhart Pannenberg, Eduard Schillebeeckx e Gerald O'Collins e, no hemisfério sul, o livro do arcebispo Peter Carnley, de Perth. Os estudiosos do Novo Testamento que escreveram sobre a ressurreição em tempos recentes costumam ser da escola tradicional-histórica alemã, e procuraram sondar o que há por trás dos detalhes dos textos dos Evangelhos e de 1Coríntios 15 para entender qual pode ter sido a origem dessas tradições. Vem à memória especialmente Willi Marxsen cinquenta anos atrás e Gerd Lüdemann vinte anos atrás, e o livro extenso do estudioso americano Pheme Perkins. Mas essas tentativas têm a tendência de ser atomistas, de dividir a tradição em seus mais antigos fragmentos hipotéticos; como boa parte da pesquisa tradicional-histórica, no fim das contas geram mais perguntas do que havia no início. Falta-nos um estudo sério desse assunto de um autor firmemente ancorado na história do judaísmo do primeiro século.

O mais perto que chegamos foi em alusões feitas por dois escritores que, pelo visto, não creem na ressurreição física de Jesus, mas que, ainda assim, dizem que algo bastante estranho parece ter ocorrido. Geza Vermes, em seu primeiro livro sobre Jesus, afirma que o túmulo devia mesmo estar vazio, e ele não parece imaginar que os discípulos tenham roubado o corpo.[3] Um dos mais importantes escritores americanos sobre Jesus, Ed Sanders, diz que os discípulos de Jesus levaram adiante a lógica da obra de Jesus "em uma situação transformada", e afirma que o resultado da vida e da obra de Jesus culminou na "ressurreição e fundação de um movimento que persistiu".[4] Ele repudia qualquer explicação especial ou racionalização das experiências dos discípulos depois da morte de Jesus. No entanto, destaca que os discípulos de Jesus provavelmente estavam preparados para um acontecimento dramático que estabeleceria o reino; ainda assim, o que aconteceu, aquilo que Sanders descreve simplesmente como "a morte e a ressurreição", "exigiu que ajustassem sua expectativa, mas não criou uma nova expectativa do nada". Tanto Vermes quanto Sanders dão testemunho, como historiadores do judaísmo do primeiro século, da grande dificuldade enfrentada por qualquer um que procure dizer, por um lado, que nada aconteceu com o corpo de Jesus, mas, por outro lado, que o cristianismo teve início logo depois de sua morte e começou exatamente como um movimento ligado à ressurreição.

Um problema sério do qual precisamos tratar antes de começar nossa argumentação é que a ressurreição, praticamente desde o início da igreja, é considerada prova da divindade de Jesus. Ressurreição e encarnação foram, portanto, interligadas. Aliás, esse é um possível motivo pelo qual as pessoas negam que o historiador seja capaz de se pronunciar a respeito da ressurreição, uma vez que dificilmente se pode esperar que o historiador, como tal, chegue a conclusões fundamentadas acerca de Deus. Mais uma vez, contudo, essa ideia revela uma falta de pensamento histórico. Os mártires macabeus esperavam ser ressuscitados, mas, com certeza, não pensavam que a ressurreição os tornaria divinos. Paulo diz que todos os cristãos serão ressuscitados como Jesus foi, mas não supõe que, com isso, participarão da filiação divina singular que, na mesma carta, ele atribui a Jesus. Aliás, já em Paulo, vemos a distinção clara entre "ressurreição" — vida novamente encarnada depois da morte — e "exaltação" ou "entronização", uma distinção que, de acordo com alguns estudiosos, só se torna parte da tradição a partir de Lucas. Mas estamos nos adiantando. Por ora, podemos simplesmente observar que, quaisquer que sejam nossos conceitos sobre a divindade de Jesus, esse não pode ser o primeiro significado de sua ressurreição. O inverso também é importante. O fato de os discípulos terem sido convencidos, com base em outros elementos, de que Jesus era divino não os teria levado, em si mesmo, a dizer que ele havia ressuscitado.

Permita-me propor um argumento histórico, que focaliza principalmente o surgimento da igreja cristã primitiva dentro do mundo do judaísmo do primeiro século, a respeito do que deve ter acontecido na manhã de Páscoa ou por volta desse dia. Nessa abordagem, consideramos a ressurreição de Jesus primeiramente e acima de tudo um problema histórico. O argumento tem três estágios, cada um deles com os mesmos quatro passos básicos.[5]

O surgimento do cristianismo primitivo

1. Como movimento do reino de Deus

O primeiro estágio do argumento diz respeito ao surgimento do cristianismo, dentro do mundo judaico de sua época, como movimento do reino de Deus. Os quatro passos podem ser resumidos da seguinte forma. Primeiro, o cristianismo primitivo se desenvolveu como movimento do reino de Deus; mas, segundo, "reino de Deus" tinha, no judaísmo, determinados significados específicos; terceiro, uma vez que eles certamente não se cumpriram, temos de perguntar por que o cristianismo primitivo afirmava que o reino de Deus havia chegado; e quarto, como historiadores, temos de propor um motivo para essa afirmação estranha. Convém apresentar cada um desses passos em mais detalhes.

1(a) Primeiro, o cristianismo primitivo se considerava um movimento do reino de Deus. Já no tempo de Paulo, a expressão "reino de Deus" havia se tornado mais ou menos uma forma abreviada de se referir ao movimento, a seu modo de vida e a sua razão de existir. E, apesar das tentativas de alguns de propor que esse reino de Deus significava para os cristãos primitivos uma nova experiência pessoal ou espiritual, e não um movimento em estilo judaico que procurava estabelecer o governo de Deus no mundo, todas as evidências efetivas a nosso dispor (em contraste com evidências fantasiosas que alguns inventaram com base em um Q antigo e um *Tomé* antigo hipotéticos) indicam que, se o movimento de Jesus era um movimento de oposição ao templo, o cristianismo primitivo era um movimento de oposição ao império. Quando Paulo dizia: "Jesus é Senhor", fica claro que sua intenção era afirmar que César não era. Não se trata de escapismo gnóstico, mas de teologia em estilo judaico, em que não existe rei senão Deus, com Jesus em seu centro. E essa teologia gerou e sustentou não uma porção de conciliábulos de estilo gnóstico, mas uma comunidade da nova aliança de estilo judaico. O cristianismo era, por certo, no sentido judaico, um movimento do reino.

1(b) Segundo, porém, dentro do judaísmo a vinda do reino significava, como vimos em capítulos anteriores, o fim do exílio de Israel; a subversão do império pagão e a exaltação de Israel; a volta de YHWH a Sião para julgar e salvar. De modo mais amplo, significava a renovação do mundo, o estabelecimento da justiça de Deus para o cosmo. Não se referia a uma experiência pessoal existencialista ou gnóstica, mas a acontecimentos públicos. Se disséssemos a um judeu do primeiro século que "o reino de Deus chegou" e, para explicar, falássemos de uma nova experiência espiritual, de uma nova percepção de perdão, de uma empolgante reorganização de nossa interioridade religiosa pessoal, esse judeu talvez expressasse satisfação de saber que tivemos essa experiência, mas perguntasse por que nos referimos a ela como reino de Deus.

1(c) Terceiro, contudo, evidentemente o reino de Deus não tinha vindo da forma que os judeus do primeiro século imaginavam. Israel não foi libertado; o templo não foi reconstruído; de modo mais amplo, o mal, a injustiça, a dor e a morte ainda corriam soltos. Logo, a pergunta premente é: por que os cristãos primitivos diziam que o reino de Deus *tinha* vindo? Por certo, uma possível resposta é que mudaram tão radicalmente o significado dessa expressão que não se referia a uma realidade política, mas a uma realidade interior ou espiritual. Mas, como vimos, essa ideia não se aplica ao cristianismo primitivo. Na primeira exposição escrita sobre a teologia do reino, que, de modo sugestivo, se encontra no mesmo capítulo da primeira exposição escrita sobre a ressurreição (1Co 15), Paulo explicou que o reino estava vindo em um processo de dois estágios e, portanto, que a esperança judaica, de que Deus seria tudo em todas as coisas, se concretizaria plenamente no futuro, depois de ter se iniciado de forma decisiva nos acontecimentos relacionados a Jesus. Os cristãos primitivos não apenas usavam essa expressão — com tanta regularidade, aliás, que quando os primeiros gnósticos quiseram produzir sua própria nova religião, tomaram essa expressão emprestada, embora não significasse nada parecido com o que estavam oferecendo —, mas reordenaram em torno dela seu mundo simbólico, seu mundo de narrativa, sua práxis habitual. Em outras palavras, agiram como se o reino de Deus de estilo judaico estivesse, verdadeiramente, presente. Organizaram a vida como se fossem, verdadeiramente, o povo que havia regressado do exílio, o povo da nova aliança. Ao mesmo tempo, temos de perguntar: por que, nesse processo, *não* deram continuidade ao tipo de revolução do reino que haviam imaginado que Jesus lideraria? Como explicar o fato de que o cristianismo primitivo não era um movimento nacionalista judaico nem uma experiência pessoal existencial?

1(d) Quarto, portanto, como historiadores, temos de propor uma forma de explicar o que levou esse grupo de judeus do primeiro século, para os quais essas expectativas do reino eram tão preciosas, a dizer que elas haviam se cumprido, embora não da forma que tinham imaginado. Os próprios cristãos primitivos dizem, a uma só voz, que o motivo para isso foi a ressurreição física de Jesus.

Antes de explorar essa ideia em mais detalhes, porém, temos de passar ao segundo estágio do argumento. O cristianismo não era apenas um movimento do reino de Deus; era, desde o início, um movimento de *ressurreição*. Mas o que a ressurreição significava para um judeu do primeiro século?

2. Como movimento de ressurreição

2(a) Como destaquei anteriormente, não há indícios de uma forma de cristianismo primitivo em que a ressurreição não fosse uma crença fundamental. Essa crença também não era, por assim dizer, um simples adendo ao cristianismo. Era a força motivadora central que norteava todo o movimento.

2(b) Contudo — o segundo passo no segundo estágio do argumento —, a ressurreição no judaísmo do primeiro século tinha um significado bastante definido. Essa é uma questão um tanto complexa e controversa, e precisamos tratar dela um pouco mais demoradamente.[6]

2(b)(i) Primeiro, havia no judaísmo do primeiro século uma gama de perspectivas a respeito do que acontecia com as pessoas depois de sua morte. Alguns textos falam de felicidade suprema não física; Fílon e *Jubileus* são exemplos. Alguns textos afirmam que o corpo físico, pelo menos dos justos falecidos, será restaurado e, portanto, que os mártires, por exemplo, um dia serão restaurados para confrontar seus torturadores e executores e celebrar a queda deles. O exemplo mais óbvio dessa ideia é 2Macabeus. Alguns textos falam de um estado desencarnado temporário, seguido de restauração ao corpo. É importante enfatizar que os capítulos 2 e 3 de Sabedoria de Salomão fazem parte dessa categoria, e não da categoria de *Jubileus* e Fílon, apesar de asserções populares e até acadêmicas do contrário. Quando Sabedoria diz: "As almas dos justos estão na mão de Deus", com certeza esse não é seu lugar final de descanso, mas um refúgio seguro temporário antes do tempo em que ressuscitarão e "correrão como centelhas na palha" (Sb 3.1-8). Esse parece ser o posicionamento de Josefo, pelo menos quando ele se dá o trabalho de descrever em que seus compatriotas judeus acreditavam, em vez de colocar discursos na boca de heróis na esperança de que atraiam seu público romano erudito. Por fim, há quem negue a continuidade da existência depois da morte: os saduceus eram famosos por adotar esse posicionamento, embora, ao que parece, não tenham deixado registros escritos para que verifiquemos e, portanto, tenhamos apenas relatos de pessoas que discordavam deles.

Dentro dessa gama, é preciso tratar de dois pontos de forma bastante clara. Primeiro, embora houvesse uma variedade de crenças a respeito da vida depois da morte, *o termo "ressurreição" era usado apenas para descrever a volta a um corpo, e não o estado de felicidade desencarnada.* "Ressurreição" não era um termo geral para "vida depois da morte", nem para "estar com Deus" em sentido geral. Era um termo para o que acontecia quando Deus criava seres humanos novamente encarnados depois de algum possível estágio intermediário.

2(b)(ii) Segundo, quando se imaginava o estado temporariamente desencarnado antes da ressurreição, vários termos podiam ser usados para ele. Pessoas nesse estado podiam ser descritas como almas, anjos ou algum equivalente próximo, ou como espíritos; mas não como corpos ressuscitados.

Ressurreição significava restauração a um corpo; mas não era só isso. Do tempo de Ezequiel 37 em diante, "ressurreição" era uma imagem usada para denotar o magnífico regresso do exílio, a renovação da aliança, e para conotar a crença de que, quando ocorresse, significaria que o pecado e a morte de Israel (i.e., o exílio) haviam sido tratados, que YHWH tinha renovado a aliança com seu povo. Portanto, a ressurreição dos mortos se tornou metáfora e metonímia, símbolo da vinda da nova era e, entendida de forma literal, um elemento central desse pacote. Quando YHWH restaurasse a sorte de seu povo, obviamente Abraão, Isaque e Jacó, bem como todo o povo de Deus, incluindo os mártires que haviam morrido em prol da causa do reino, receberiam novamente um corpo, seriam ressuscitados para uma nova vida no novo mundo de Deus. Nos casos em que judeus do segundo templo acreditavam na ressurreição, essa crença era associada à restauração ao corpo, concedida a seres humanos outrora mortos; também era associada ao início da nova era, a nova aliança em que os justos falecidos seriam ressuscitados simultaneamente. É supostamente por esse motivo que, quando Jesus disse que o Filho do Homem, como indivíduo, ressuscitaria dentre os mortos no transcurso da história (Mc 9.10), os discípulos ficaram perplexos diante do significado dessa declaração.

Portanto, se um judeu do primeiro século afirmasse que alguém havia sido "ressuscitado dos mortos", uma coisa que ele não queria dizer era que essa pessoa havia sido transferida para um estado de felicidade desencarnada, quer para o resto da vida, quer para aguardar o grande dia em que receberia um corpo. Podemos testar essa asserção ao perguntar se alguém em 150 a.C. que acreditava fervorosamente que os mártires macabeus eram israelitas verdadeiros e justos, ou alguém em 150 d.C. que acreditava que Simeão ben-Kosiba era o verdadeiro Messias (se existia um Messias), teria dito que os macabeus ou Simeão haviam sido ressuscitados, com a intenção de indicar por essa declaração apenas que sua causa era justa e que estavam vivos em um lugar de honra na presença de Deus. A resposta é óbvia. Alguém na situação que descrevemos poderia muito bem ter dito que os mártires macabeus ou ben-Kosiba estavam vivos na forma de anjo ou espírito, ou que sua alma estava nas mãos de Deus. Contudo, não teriam cogitado dizer que já haviam sido ressuscitados. Ressurreição significava a dádiva de um corpo físico e deixava implícito que uma nova era havia começado.

Se, portanto, disséssemos para um judeu do primeiro século: "A ressurreição ocorreu", teríamos recebido a resposta perplexa de que, obviamente, ela não havia ocorrido, tendo em conta que patriarcas, profetas e mártires não estavam andando por aí restaurados à vida e tendo em conta que a restauração da qual Ezequiel 37 fala de modo claro também não havia se concretizado. E se, como explicação, afirmássemos que não era a essa situação que estávamos nos referindo — na verdade, queríamos dizer que tínhamos uma nova e maravilhosa percepção de cura e perdão divinos, ou que acreditávamos que o ex-líder de nosso movimento estava vivo na presença de Deus depois de tortura e morte vergonhosas —, o interlocutor talvez nos parabenizasse por ter essa experiência e conversasse conosco sobre essa crença. Contudo, ele não entenderia o que nos levou a usar a expressão "a ressurreição dos mortos" para descrever essas coisas. Simplesmente não era o significado do termo.

2(c) Contudo — esse é o terceiro passo nesse estágio do argumento —, como ressaltamos anteriormente, a nova era não havia se iniciado da forma que os judeus do primeiro século imaginavam. E a ressurreição de todo o povo de Deus de outrora também não havia ocorrido (embora Mateus deixe implícito, em uma passagem bastante estranha, que algo semelhante a um antegosto disso aconteceu depois da crucificação [Mt 27.51-54]). E, no entanto, logo no início a igreja declarava categoricamente não apenas que Jesus havia sido ressuscitado dentre os mortos, mas que "a ressurreição dos mortos" já havia ocorrido (At 4.2, etc.). Ademais, os primeiros cristãos se lançaram a reestruturar em torno desse ponto fixo toda a sua cosmovisão: sua práxis característica, suas narrativas centrais, seu universo simbólico e sua teologia básica. Em outras palavras, comportavam-se como se a nova era já houvesse chegado. Essa era a lógica interior da missão aos gentios, a saber, agora que Deus já havia feito por Israel aquilo que ele havia prometido, os gentios finalmente participariam da bênção. Os primeiros cristãos não se comportavam como se houvessem tido um novo tipo de experiência religiosa, ou como se seu ex-líder estivesse vivo e com saúde na presença de Deus, na forma de anjo ou espírito (como os seguidores dos mártires macabeus sem dúvida teriam dito de seus heróis). A única explicação para esse comportamento, para suas histórias, seus símbolos e sua teologia é que eles verdadeiramente acreditavam que Jesus estava novamente em um corpo, que havia sido fisicamente ressuscitado. Essa conclusão, aliás, não costuma ser questionada hoje em dia, mesmo entre aqueles que afirmam que o corpo de Jesus permaneceu no túmulo, onde se decompôs.

2(d) O quarto passo nessa segunda fase do argumento é, evidentemente, perguntar se a igreja primitiva tinha razão. Temos de propor algo que explique como esse grupo de judeus do primeiro século, que incluía fariseus bastante instruídos, como Paulo, chegou tão rapidamente à conclusão de que, ao contrário de suas expectativas de que *todos* os falecidos justos seriam ressuscitados no *fim* da presente era, apenas *uma* pessoa havia sido ressuscitada no *meio* da presente era. Em breve consideraremos as diversas possibilidades.

3. Como movimento messiânico

3(a) Mostrei em linhas gerais de que maneira o cristianismo surgiu como movimento messiânico, mas com uma enigmática diferença: ao contrário de todos os movimentos messiânicos dos quais temos conhecimento, seu Messias era alguém que já havia enfrentado o procurador romano e sido executado por soldados romanos. No capítulo 4, propus que não podemos explicar o surgimento de crenças messiânicas apenas por meio da ressurreição; temos de propor, e os Evangelhos nos incentivam a aceitar, que Jesus agiu e falou de forma messiânica durante sua vida e que essas ações e palavras foram a causa imediata de sua morte. Mas, igualmente, não temos como explicar por que a igreja primitiva continuou a crer que Jesus era o Messias, se ele havia simplesmente sido executado pelos romanos, como acontecia com os Messias fracassados.

3(b) Essa situação fica clara com base no segundo passo do argumento. Como vimos em várias ocasiões, as expectativas judaicas de um Messias focalizavam a derrota dos pagãos, a reconstrução do templo e a aplicação da justiça de Deus ao mundo. Se um pretenso "Messias" era morto pelos pagãos, especialmente se não havia reconstruído o templo, libertado Israel ou trazido justiça ao mundo, era sinal inequívoco de que fazia parte de uma longa série de falsos Messias. A crucificação de um Messias não sinalizava para um judeu do primeiro século que aquele era o Messias verdadeiro e que o reino tinha vindo. Era exatamente o oposto. Dizia que aquele não era o Messias e que o reino não tinha vindo.

Pelo contrário. Se o Messias que você seguia era morto pelos pagãos, era necessário fazer uma escolha. Você podia abrir mão da revolução e do sonho de libertação. Alguns optaram por esse caminho, com destaque para o movimento rabínico em sua totalidade depois de 135 a.C. Ou você podia encontrar um novo Messias, se possível da mesma família do falecido. Alguns optaram por esse caminho, como se vê no movimento que persistiu desde Judas o Galileu em 6 d.C., passando por seus filhos ou netos na década de 50, até outro descendente, Menaém, durante a guerra de 66–70 d.C., e ainda outro descendente, Eleazar, líder dos malfadados sicários em Massada em 73 d.C. Tentaram aproveitar essa dinastia ao máximo, apesar de seus repetidos fracassos. E, mais uma vez, temos de ser claros. Se depois da morte de Simão bar-Giora no triunfo de Tito em Roma nós déssemos a entender que Simão era verdadeiramente o Messias, teríamos provocado reações bastante mordazes de judeus comuns do primeiro século. Se, como explicação, disséssemos que ainda tínhamos forte percepção da presença de Simão, sustentando-nos e conduzindo-nos, a resposta mais gentil que poderíamos esperar seria de que o anjo ou o espírito dele ainda se comunicava conosco, e não de que Simão havia ressuscitado dentre os mortos.

3(c) Portanto — mais uma vez, o terceiro passo no argumento —, tendo em conta que Jesus de Nazaré certamente foi crucificado como um rei rebelde e açoitado antes da execução, como também foi Simão bar-Giora, devemos considerar muitíssimo estranho que os primeiros cristãos não apenas tenham insistido que ele era o Messias, mas também tenham reordenado sua cosmovisão, sua práxis, suas narrativas, seus símbolos e sua teologia em torno dessa crença. Tinham diante de si as duas opções normais. Poderiam ter desistido de seu messianismo, como fizeram os rabinos depois de 135 d.C., e procurado uma religião individual, de observância intensificada da Torá ou de alguma outra coisa. Fica evidente que não o fizeram; seria difícil de imaginar algo menos privado do que percorrer o mundo pagão dizendo que Jesus era o *kyrios kosmou*, senhor do mundo. De forma semelhante, e muito interessante, poderiam ter encontrado um novo Messias entre os parentes de sangue de Jesus. Sabemos com base em várias fontes que parentes de Jesus continuaram a ser importantes na igreja primitiva e que um deles, Tiago, irmão de Jesus, embora não tivesse participado do movimento durante a vida de Jesus, tornou-se sua figura central, a âncora em Jerusalém, enquanto Pedro e Paulo viajavam pelo mundo. No entanto — e essa é uma pista importante, como o cão de Sherlock Holmes que não latiu à noite —, *ninguém no cristianismo primitivo sequer sonhou em dizer que Tiago era o Messias*. Nada teria sido mais natural, especialmente ao fazer uma analogia com a família de Judas o Galileu. Ainda assim, Tiago era simplesmente conhecido, até mesmo por Josefo em *Antiguidades* 20, como "o irmão do chamado Messias".

3(d) Portanto, somos obrigados mais uma vez — o quarto passo no terceiro estágio do argumento — a propor algo que explique por que esse grupo de judeus do primeiro século, que havia acalentado esperanças messiânicas e as voltado para Jesus de Nazaré, não apenas continuou a crer que ele fosse o Messias depois de sua morte, mas o anunciou ativamente como tal no mundo judaico e também no mundo pagão, redesenhando de bom grado o perfil de messianidade em função dele, mas recusando-se a abrir mão desse perfil.

Conclusão

Para concluir essa apresentação do cristianismo primitivo em seu contexto judaico, podemos observar os seguintes pontos de vinculação e desvinculação. A linguagem da ressurreição só faz sentido em seu contexto judaico do primeiro século e é, claramente, a premissa de todo o cristianismo primitivo. No entanto, a ressurreição de uma pessoa, no transcurso da história presente, não era o que os judeus do primeiro século esperavam. Todos os relatos que temos do Jesus ressurreto descrevem as aparições de uma forma que indica que era necessário fazer uma clara e conhecida distinção entre essas aparições e a presença de Jesus experimentada por sua igreja nos dias e anos posteriores. Somos obrigados, portanto, por uma questão de história, a procurar explicar o que levou a igreja primitiva a asseverar algo que só fazia sentido no mundo judaico, mas não era exatamente aquilo que seus membros, como judeus, haviam esperado; o que levou os primeiros cristãos a descrever Jesus de determinada forma como base para sua vida e seu trabalho, mas não da forma que ele lhes foi revelado em sua experiência cotidiana. Esse é o problema histórico da ressurreição de Jesus. E, para começar a responder à pergunta, temos de recorrer a nossa fonte escrita mais antiga: neste caso, Paulo.

Paulo: 1Coríntios 15

A esta altura, alguns certamente concluirão, como fazem vários escritores populares: sem dúvida Paulo, o primeiro escritor a mencionar a ressurreição, se refere simplesmente a um corpo espiritual; isso não significa que, para ele, a ressurreição era um acontecimento não físico? E, de qualquer modo, o fato de ele ter "visto" Cristo na estrada para Damasco não é um caso claro de "visão", a ser explicado como sua experiência religiosa? Não devemos supor que todas as outras "aparições" de Jesus foram, na verdade, semelhantes, até que a tradição bem posterior dos Evangelhos se impôs sobre elas e turvou as águas ao mostrar Jesus preparando café da manhã na beira do lago e até comendo peixe grelhado?

Podemos observar, como início de uma resposta, que Paulo é, evidentemente, o exemplo clássico de cristão primitivo que entreteceu de tal modo a ressurreição em seu pensamento e sua prática que, se a removêssemos, todo o restante se desintegraria. Podemos observar, também, que Paulo veio de um contexto farisaico em que, como um dos tipos mais rigorosos de fariseu, ele acreditava fervorosamente na restauração de Israel e na vinda de uma nova era em que Deus julgaria o mundo e resgataria seu povo. São as palavras desse homem que lemos em 1Coríntios 15.

Podemos começar com o versículo 8: "Por último, apareceu também a mim, como se eu tivesse nascido fora de tempo". Essa é uma imagem violenta, que traz à mente a ideia de uma cesariana; o bebê é arrancado do ventre, nascido antes de estar preparado, piscando espantado com a luz súbita, mal capaz de respirar nesse novo mundo. Detectamos aqui não apenas um pouco de autobiografia, quando Paulo reflete sobre a sensação que teve na estrada para Damasco. Também há uma clara percepção de que Paulo sabia que essa experiência dele era bem *diferente* da experiência de outros. Ademais, ele se tornou testemunha da ressurreição pouco antes de as aparições cessarem; "por último" indica que a experiência cristã comum de conhecer o Jesus ressurreto na vida da igreja, de oração, de fé, dos sacramentos, não é o mesmo tipo de coisa que aconteceu com Paulo. Em outras palavras, ele faz distinção entre sua experiência na estrada para Damasco e todas as outras aparições anteriores do Jesus ressurreto, bem como todas as experiências posteriores da igreja, que incluem outras experiências do próprio Paulo.

Voltando ao início de 1Coríntios 15, vemos nos versículos 1-7 aquilo que Paulo descreve como a tradição primitiva comum a todos os cristãos. Ele a recebeu e ele a transmitiu; esses são termos técnicos para a comunicação de tradição, e devemos pressupor que representa as crenças presentes nos primeiros dias da igreja, no início da década de 30 d.C. A tradição inclui o sepultamento de Jesus (ignorado convenientemente por Crossan; sua proposta macabra é de que o corpo de Jesus foi devorado por cães enquanto estava na cruz, daí não ter restado nada para sepultar).[7] No mundo de Paulo, como já foi dito com frequência, mas nem todos os estudiosos ouviram, afirmar que alguém havia sido sepultado e havia ressuscitado três dias depois era afirmar que o túmulo estava vazio, embora esse estado do túmulo, tão importante para a discussão no século 20, claramente não fosse algo que Paulo considerasse necessário enfatizar. Para ele, falar de "ressurreição" era suficiente para deixar implícito o túmulo vazio e muito mais. Simplesmente não há evidências de que o termo pudesse significar para um judeu erudito na metade do primeiro século que a pessoa em questão estava viva em um âmbito não físico, enquanto o corpo permanecia em uma sepultura.

Ao relacionar as aparições de Jesus, Paulo não menciona as ocasiões em que ele apareceu às mulheres. Essa omissão não é sinal (como se propõe ocasionalmente) de machismo da parte dele ou daqueles que estruturaram a tradição. Antes, ela se deve ao fato de que essa tradição comum tinha por objetivo ser usada na pregação, em que as pessoas relacionadas eram claramente consideradas testemunhas da ressurreição. Naquela cultura, evidentemente, as mulheres não eram consideradas testemunhas confiáveis. A referência de Paulo aos quinhentos que viram Jesus em certa ocasião não pode ser igualada à experiência de Pentecostes mencionada em Atos, como alguns procuraram fazer, pois antecede a aparição a Tiago, que já fazia parte do movimento cristão primitivo em Pentecostes.

Talvez, contudo, o mais importante no primeiro parágrafo de 1Coríntios 15 seja o conceito paulino do *significado* da ressurreição. Para o apóstolo, não era uma questão de iniciar uma nova experiência religiosa. Também não era prova de sobrevivência, de vida depois da morte. Significava que as Escrituras haviam se cumprido; o reino de Deus havia chegado, uma nova era havia irrompido no meio da presente era e raiado em um mundo surpreso e despreparado. Tudo aconteceu "como dizem as Escrituras", o que, como propus em outro texto, não significa que Paulo poderia encontrar textos bíblicos de comprovação caso os procurasse com afinco suficiente, mas que toda a narrativa bíblica havia chegado a seu ápice e se realizado nesses acontecimentos espantosos.[8] Consequentemente, Paulo pode desenvolver nos versículos 12-28 a ideia de que a vinda de uma nova era é um processo de dois estágios: o Messias primeiro e, por fim, a ressurreição de todos os que pertencem ao Messias. Tendo em conta nossa discussão anterior, devemos observar com bastante atenção que o Messias não é visto, no presente, como uma alma, um espírito ou um anjo. Não se encontra em um estado intermediário do qual, por fim, será ressuscitado. *Já* foi ressuscitado; já se encontra, como ser humano, exaltado na presença de Deus; já está governando o mundo, não apenas de alguma forma divina, mas exatamente como ser humano, cumprindo o destino reservado para a raça humana no sexto dia da criação.[9]

A partir dessa base, Paulo pode declarar enfaticamente nos versículos 29-34 que os cristãos mortos e os cristãos vivos terão um corpo no futuro; ou, de modo mais preciso, os cristãos mortos terão um corpo *novo* no futuro e os cristãos vivos terão um corpo *transformado* no futuro. De acordo com ele, essa é a única explicação (dentro da cosmovisão judaica, a única em que essa linguagem faz sentido) para a prática presente da igreja, tanto no tocante ao estranho costume do batismo em favor dos mortos quanto no tocante à imagem mais acessível dos trabalhos apostólicos de Paulo (v. 34, que antevê o v. 58). A presente vida da igreja não diz respeito, portanto, a "produzir almas", uma tentativa de gerar ou treinar seres desencarnados para uma futura vida desencarnada. Diz respeito, isto sim, a trabalhar com seres plenamente humanos que, por fim, voltarão a ter corpo, a exemplo do Messias.

Mas que tipo de corpo será? Podemos saltar, por um momento, para os versículos 50-57. Ali, Paulo afirma com veemência sua crença em um corpo que será *transformado*, e não abandonado. A presente existência física, com toda a sua transitoriedade, sua deterioração e sua sujeição a fraqueza, enfermidade e morte, não se estenderá para sempre; é a isso que ele se refere quando diz que "carne e sangue não podem herdar o reino de Deus". Para o apóstolo, "carne e sangue" não se refere à "existência física" em si, mas ao presente estado corruptível e decadente de nosso caráter físico. Precisamos daquilo que podemos chamar "existência física não corruptível": os mortos ressuscitarão "incorruptíveis" (v. 52, NVI) e nós — isto é, aqueles que estiverem vivos nesse grande dia — seremos transformados. Como em 2Coríntios 5, Paulo vê o presente corpo físico se "revestir" de um novo corpo, um novo modo de existência física que transcende o que conhecemos hoje. Não é mera ressuscitação, mas também não é, de maneira nenhuma, desencarnação. E se é nisso que Paulo crê a respeito do corpo ressurreto dos cristãos, podemos supor, uma vez que seu argumento é uma via de duas mãos, que também é nisso que ele crê a respeito da ressurreição de Jesus.

Entre as passagens que acabamos de examinar sucintamente, temos a parte mais complexa do capítulo, os versículos 35-49. Neles, Paulo fala dos diferentes tipos de existência física, entre os quais há vinculação e desvinculação. Nesse contexto, quando o apóstolo se refere ao corpo ressurreto futuro como "corpo espiritual", *não* significa, como se propõe com frequência, um corpo "não físico". Quem segue essa linha permite que se infiltre na discussão uma cosmovisão helenística sem cabimento nesse capítulo extremamente judaico. Paulo contrasta o corpo presente, *soma psychikon*, com o corpo futuro, *soma pneumatikon*. *Soma* significa "corpo". Mas o que significam os dois adjetivos? Aqui, as traduções muitas vezes não são de grande ajuda, especialmente quando usam "corpo físico" e "corpo espiritual". Uma vez que *psyche*, termo do qual *psychikon* é derivado, costuma ser traduzido por "alma", podemos muito bem supor que, para o apóstolo, o presente corpo também não é físico! Visto que essa ideia está claramente fora de questão, é correto entender as duas expressões como referência a um corpo físico: um é animado pela "alma" e o outro, pelo "espírito", por certo o Espírito de Deus. (Podemos comparar com Romanos 8.10s, em que o Espírito de Deus é o agente da ressurreição dos cristãos.) Paulo diz que o presente corpo é "um corpo [físico] animado pela 'alma'"; o futuro corpo é "um corpo [físico transformado] animado pelo Espírito de Deus".

Uma observação final sobre o conceito paulino de ressurreição. Como observamos anteriormente, é costume dizer que Paulo e muitos outros cristãos primitivos não faziam distinção entre ressurreição e exaltação, e que a exaltação era a categoria principal para eles e a ressurreição do corpo, um desdobramento posterior. Contudo, 1Coríntios 15 mostra claramente que não é o caso. A exaltação de Jesus é inequivocamente distinguida da ressurreição. Claro que, uma vez que o Jesus ressurreto é a mesma pessoa que o Senhor exaltado, e uma vez que a ressurreição é a condição anterior para sua exaltação, há um vínculo estreito entre as duas. Quando a argumentação torna necessário (como, p. ex., em Filipenses 2.5-11), Paulo é plenamente capaz de se referir somente à exaltação, sem falar da ressurreição. Mas, na presente passagem, em que ele desenvolve esse tema de modo mais completo que em qualquer outro lugar, as duas são alinhadas sem confusão e distinguidas sem desvinculação.

Em seguida Paulo, que escreve no início da década de 50 d.C. e afirma representar a linha principal das crenças da igreja, faz certas asserções a respeito da ressurreição de Jesus:

1. Foi o momento em que o Deus criador cumpriu suas promessas antigas a Israel e salvou os israelitas de "seus pecados", isto é, de seu exílio. Iniciaram-se, portanto, os "últimos dias", no fim dos quais a vitória sobre a morte, que começou na Páscoa, finalmente se completaria.
2. Implicou a transformação do corpo de Jesus; não consistiu em ressuscitar o corpo morto de Jesus para o mesmo tipo de vida, nem em

abandoná-lo à decomposição. A apresentação de Paulo pressupõe um túmulo vazio.
3. Incluiu o fato de que Jesus foi visto com vida em um período inicial bastante limitado, depois do qual ele passou a estar presente com a igreja de forma diferente. Aqueles que testemunharam essas primeiras aparições foram constituídos apóstolos (ver 1Co 9.1).
4. Foi o protótipo da ressurreição de todo o povo de Deus no fim dos últimos dias.
5. Formou, portanto, a base não apenas para a esperança futura dos cristãos, mas também para seu trabalho presente.

Conclusão: As tradições dos Evangelhos e a ressurreição

Concentrei-me no argumento histórico em grande escala e no mais antigo documento escrito, a saber, 1Coríntios. No entanto, proponho que, ao ampliar nossa visão para abarcar o restante do Novo Testamento e o cristianismo primitivo, vemos a perspectiva de Paulo ser reafirmada repetidamente. As narrativas da ressurreição nos Evangelhos, apesar de serem motivo de perplexidade e parecerem trazer conflitos, são bastante claras em três pontos.

Primeiro, as aparições de Jesus e os encontros com ele são bem diferentes de visões celestiais, ou visões de uma figura envolta em luz cegante ou glória ofuscante, ou cercada de nuvens, esperadas na tradição judaica apocalíptica ou merkabá. Em outras palavras, não procuram descrever o tipo de coisa que seria esperado caso se desejasse simplesmente dizer que Jesus havia sido exaltado a uma posição de divindade ou, no mínimo, de glória celestial. O próprio retrato de Jesus nessas narrativas não parece seguir o modelo de relatos já existentes de "aparições sobrenaturais". Esse retrato não foi criado com base em expectativas.

Segundo, o corpo de Jesus parece ser físico, no sentido de que não era um anjo ou espírito imaterial, e transfísico, no sentido de que podia passar por portas trancadas. Ao ler os relatos dos Evangelhos, tenho a impressão de que dizem, com efeito: "Sei que é extraordinário, mas foi o que aconteceu". Na verdade, descrevem de modo mais ou menos exato o fenômeno para o qual Paulo fornece a estrutura teórica subjacente:

um acontecimento sem precedentes e do qual ainda não há exemplos posteriores, um acontecimento que não implica nem ressuscitação, nem abandono do corpo físico, mas que é, antes, a transformação em uma nova forma de existência física.

Terceiro, os relatos deixam bastante claro que as aparições de Jesus não continuaram a ocorrer ao longo da existência da igreja primitiva. Lucas não tomava por certo que seus leitores pudessem deparar com Jesus no caminho para Emaús. Mateus não esperava que seu público encontrasse Jesus no alto de um monte. João não supunha que as pessoas veriam Jesus preparar café da manhã na beira do lago. Marcos certamente não esperava que seus leitores "não dissessem coisa alguma a ninguém, pois estavam assustados demais".

A partir dessa perspectiva, parece-me inteiramente plausível supor, como fizeram muitos estudiosos do Novo Testamento, que os relatos da ressurreição nos Evangelhos, especialmente em Lucas e João, representam um desdobramento tardio na tradição, em que, pela primeira vez, pareceu apropriado, ou mesmo necessário, falar de Jesus de forma tão explicitamente física. A ideia de que tradições se desenvolveram a partir de um período inicial mais helenístico para um período posterior mais judaico é, em todos os aspectos, extremamente estranha e, embora tenha sido amplamente aceita no século 20, deve ser abandonada por falta de aval; ademais, de qualquer modo, é contraintuitiva. Proponho que, não obstante quando os Evangelhos de João e de Lucas chegaram a sua forma final, as tradições agora registradas em seus últimos capítulos remontam a recordações antigas autênticas, sem dúvida contadas e recontadas, formadas e reformadas pela vida da comunidade que as relatou, mas com a mensagem fundamental mantida intacta. Verdade seja dita, esse não era o tipo de coisa a respeito do qual as pessoas naquele mundo falavam ou escreviam. Todas as tentativas de mostrar que as narrativas da ressurreição nos Evangelhos são derivadas de outros textos falharam claramente.

Sem entrar em mais detalhes, para os quais não há espaço aqui, deixe-me observar rapidamente os pontos fortes dessa perspectiva. É comum destacar que o túmulo de Jesus não foi venerado da mesma forma que eram os túmulos dos mártires. Observa-se com frequência que precisamos explicar a ênfase, logo no início do cristianismo, sobre o primeiro dia da semana como Dia do Senhor. Não é destacado com tanta frequência, porém, que na realidade o sepultamento de Jesus deveria ter sido o primeiro estágio de um sepultamento em dois estágios; se seu corpo ainda estivesse em um túmulo em algum lugar, cedo ou tarde alguém teria de juntar os ossos e colocá-los em um ossuário, e se sua ressurreição fosse uma farsa, teria sido descoberta. Essas considerações e outras semelhantes nos obrigam a voltar o foco para a primeira Páscoa e para a pergunta que fizemos desde o início: o que exatamente aconteceu?

Entre aqueles que negam a ressurreição física de Jesus, há uma teoria um tanto quanto persistente nos estudos acadêmicos recentes. Gerd Lüdemann, Michael Goulder e outros afirmam que Pedro e Paulo tiveram algum tipo de visão alucinatória. Dizem que Pedro foi tomado de pesar, e talvez de culpa, e teve uma experiência comum para pessoas nesse estado: uma sensação da presença do falecido com ele, falando-lhe e tranquilizando-o. De acordo com eles, Paulo se encontrava em um estado de culpa fanática, que induziu nele uma fantasia semelhante. Em seguida, os dois comunicaram sua experiência com entusiasmo aos outros discípulos, que tiveram uma espécie de versão coletiva da mesma fantasia.

Essa teoria não é nova, embora tenha sido reavivada de novas maneiras. É uma espécie de versão atualizada de uma teoria bastante aceita proposta por Bultmann, de acordo com a qual, embora o corpo de Jesus tenha permanecido no túmulo, os discípulos tiveram uma nova experiência do amor e da graça de Deus; ou da perspectiva de Schillebeeckx de que, quando os discípulos foram ao túmulo, sua mente foi enchida de luz de tal forma que não importava se havia ou não um corpo ali. Não tenho tempo de tratar dessas teorias em detalhes. Mas, como historiador, devo dizer que as considero muito mais difíceis de aceitar do que os relatos apresentados pelos autores dos Evangelhos, apesar de todos os seus problemas. Para começar, se Pedro ou Paulo houvessem tido essas experiências, a categoria que teria vindo à mente não seria de "ressurreição", mas de aparição do "anjo" ou do "espírito" de Jesus (ver At 12.15; 23.8-10). Se alguém descrevesse essa experiência para um judeu do primeiro século, e mesmo que esse judeu se entusiasmasse a ponto de ter uma experiência semelhante, ela jamais o convenceria de que a era vindoura havia irrompido no presente, de que tinha chegado a hora de os gentios ouvirem as boas-novas, de que o reino tinha verdadeiramente chegado, de que Jesus era, afinal de contas, o Messias. Creio, portanto, que a única forma de nós, historiadores, avançarmos é encarar a dificuldade e reconhecer que, obviamente, estamos nos limites da linguagem, da filosofia, da história e da teologia. É melhor aprendermos a levar a sério o testemunho de toda a igreja primitiva de que Jesus de Nazaré foi ressuscitado fisicamente para um novo tipo de vida três dias depois de sua execução.

E, evidentemente, é essa proposta que oferece, de longe, a melhor explicação para o surgimento dessa mesma igreja primitiva. Todas as outras explicações deixam muito mais perguntas sem respostas do que trazem esclarecimentos. De modo específico, essa proposta explica por que a igreja veio a crer, tão cedo, que a nova era havia começado; por que, como consequência, a igreja veio a crer que a morte de Jesus não havia sido um acidente indiscriminado, nem o fim de um belo sonho, mas, sim, o ato salvífico culminante do Deus de Israel, o único Deus de toda a terra; e por que, diante disso, os primeiros cristãos, para sua própria surpresa, chegaram à conclusão de que Jesus de Nazaré havia feito aquilo que, de acordo com as Escrituras, somente o Deus de Israel podia fazer. Nesse sentido, a ressurreição voltou o olhar deles para a cristologia completa que vieram a adotar em vinte e poucos anos. O mais importante desde o início, porém, foi que a ressurreição de Jesus mostrou que: ele era, verdadeiramente, o Messias; tinha, verdadeiramente, tomado sobre seus ombros o destino de Israel ao carregar a cruz romana para fora dos muros da cidade; tinha passado pelo apogeu do exílio de Israel e voltado desse exílio três dias depois, de acordo com toda a narrativa bíblica e em cumprimento da mesma; seus seguidores, ao serem testemunhas dessas coisas, foram, em razão delas, comissionados para levar a notícia dessa vitória aos confins da terra. A fim de que o estudo de Jesus em seu contexto histórico seja mais que mero exercício de história antiga, ainda que um exercício fascinante, talvez caiba observar aqui de que maneira esse estudo aponta para além de si mesmo. A linha que começa com o Jesus histórico avança para dentro da história presente e é para o mundo atual pós-moderno um desafio tão grande quanto foi para o mundo do judaísmo do segundo templo e do Império Romano antigo. Mas, para tratar desse assunto, precisaremos de mais um capítulo, ou melhor, de mais dois capítulos.

7
Caminhando para Emaús em um mundo pós-moderno

Introdução: Missão em um mundo pós-moderno?

Chegamos agora ao ponto em que, depois de um bocado de reconstrução histórica, o leitor talvez esteja fazendo a pergunta que também incomodou este autor por muitos anos: E daí? Como passamos da reconstrução histórica detalhada desse Jesus que viveu no mundo do primeiro século para nosso mundo, com todos os seus contornos e objetivos tão diferentes?

O último ponto a que chegamos em nossa investigação histórica foi a ressurreição de Jesus, e é nesse ponto que começo estes dois capítulos finais. No presente capítulo, reúno um dos relatos mais conhecidos da ressurreição de Jesus, a saber, a descrição por Lucas dos dois discípulos no caminho para Emaús, e uma breve consideração do mundo pós-moderno em que nos encontramos. Minha intenção é deixar que esses dois elementos produzam algumas fagulhas entre si e, espero, esclarecimento em ambas as direções. E, para nos ajudar nessa tarefa, desejo situar a discussão no contexto de um dos mais tocantes e comoventes poemas do Antigo Testamento, a saber, o salmo combinado que conhecemos como salmos 42 e 43.

Para começar, deixe-me descrever o contexto em que nos encontramos no mundo ocidental de hoje.[1] Vivemos na sobreposição de várias e imensas ondas culturais. Nos âmbitos social e econômico, duzentos ou trezentos anos atrás passamos de uma economia agrária para uma economia industrial, e como consequência muitos valores e aspirações implícitos em nossa cultura mudaram drasticamente. Muitos ainda anseiam permanecer arraigados na agricultura e ficam frustrados quando isso se torna cada vez mais impossível. Contudo, afastamo-nos rapidamente da economia industrial modernista e ingressamos em um mundo em que o microprocessador tem mais poder e gera mais dinheiro que a chaminé da fábrica. Tanto políticos quanto industrialistas estão envolvidos no conflito entre as duas culturas bastante diferentes. Nesse processo, formas de trabalho, crescimento econômico e valores sociais e culturais foram virados do avesso.

Essa transição bastante repentina e ameaçadora é ligada à grande mudança que ocorreu em anos recentes do modernismo para o pós-modernismo. De forma extremamente simplificada, essa mudança se concentrou em três áreas.

A primeira é conhecimento e verdade. Enquanto o modernismo se imaginava capaz de conhecer coisas acerca do mundo de forma objetiva, o pós-modernismo nos lembrou de que não existe conhecimento neutro. Todos têm uma perspectiva, e essa perspectiva causa distorções; todos descrevem as coisas da forma que lhes convém. Não existe verdade objetiva. De modo semelhante, não existem valores objetivos, mas tão somente preferências. Os símbolos culturais que resumem essa revolução são os sistemas de áudio digital e de realidade virtual: cada um cria seu mundo particular.

A segunda é o eu. A modernidade exaltava o grandioso indivíduo solitário, o todo-poderoso "eu": o *cogito ergo sum* de Descartes e o arrogante "sou senhor de meu destino, capitão de minha alma". No entanto, a pós-modernidade desconstruiu o "eu". Ele é apenas uma representação variável, uma conjunção temporária e acidental de forças e impulsos conflitantes. Assim como a realidade implode dentro do conhecedor, o próprio conhecedor se descontrói.

A terceira é a narrativa. A modernidade apresentava uma narrativa implícita sobre a natureza do mundo. Em essência, era uma narrativa escatológica. A história do mundo vinha se movendo constantemente em direção ao ponto (ou pelo menos o aguardava com expectativa) em que a revolução industrial e o Iluminismo filosófico irromperiam no mundo, trazendo uma nova era de benefícios para todos. Agora, foi mostrado de forma conclusiva que essa narrativa abrangente, conhecida como metanarrativa, é opressora, imperialista e interesseira; trouxe infelicidade indescritível para milhões no ocidente industrializado e para bilhões no restante do mundo em que mão de obra e matéria-prima baratas foram implacavelmente exploradas. É uma narrativa que atende aos interesses do mundo ocidental. A modernidade é condenada por erigir uma nova torre de Babel. A pós-modernidade afirma, usando principalmente essa grande metanarrativa como exemplo, que *todas* as metanarrativas são suspeitas; todas são jogos de poder.

Realidade em colapso; desconstrução do eu; morte da metanarrativa. Essas são as chaves para entender a pós-modernidade. Ela é uma aplicação cruel da hermenêutica da suspeita a tudo o que o mundo ocidental pós-iluminista prezava. Acompanha exatamente a revolução do microprocessador, que gerou e mantém um mundo em que é cada vez mais fácil criar novas realidades aparentes, viver no próprio mundo particular e contar a própria história mesmo que não seja consoante com a história de mais ninguém. Essa é, em parte, a essência da internet. Vivemos em um hipermercado cultural, econômico, moral e até mesmo religioso. Pegue o que você quiser e misture tudo.

O que a igreja faz diante desse enorme torvelinho de movimentos e tensões culturais?

Quase todos nós que agora somos cristãos adultos aprendemos nosso ofício, aprendemos o cristianismo, aprendemos a pregar e a viver o evangelho, dentro de um mundo resolutamente modernista e industrial. É verdade que alguns ramos do cristianismo conseguiram se apegar a uma forma de pensar e até de viver pré-moderna, mantendo distância do mundo moderno, quem dirá do mundo pós-moderno. Contudo, a maioria de nós que pratica o cristianismo há mais ou menos meio século articulou de forma tradicional o evangelho para pessoas que sentiam e pensavam como indivíduos modernos e, especialmente, que acreditavam em progresso. Imaginavam que, se trabalhassem com maior afinco e se esforçassem um pouco mais, tudo daria certo. Esse sonho modernista, transposto para a teologia, sustenta uma espécie de pelagianismo: tire a si mesmo do lamaçal moral, salve-se por esforço próprio. E, uma vez que esse foi o aspecto que Martinho Lutero atacou em sua doutrina da justificação pela fé, pregamos a mensagem da graça e da fé para um mundo de pelagianos zelosos. E anunciamos uma mensagem espiritual pura, não corrompida por reflexão política e social.

A princípio, parece algo excelente. Se você vir um pelagiano caminhando em sua direção na rua, dê-lhe Agostinho ou Lutero. Essa abordagem, contudo, tem pelo menos dois problemas. Primeiro, não é aquilo que o próprio apóstolo Paulo quis dizer ao falar de justificação pela fé.

Esse é um tema para outro livro.² Mas, segundo, com a transição para a pós-modernidade, a maioria de nossos contemporâneos (e em breve todos eles) não será mais pelagiana. Aqueles que abandonaram a economia das chaminés em favor do microprocessador; aqueles que negaram todo o conhecimento objetivo em favor de um mundo de sentimentos e impulsos; aqueles que abandonaram o "eu" arrogante do Iluminismo em favor da massa desconstruída de representações; aqueles que despedaçaram a grande metanarrativa e agora brincam com narrativas intercambiáveis à medida que elas surgem — aqueles que vivem neste mundo, cada vez mais nosso mundo, não estão tentando tirar a si mesmos do lamaçal moral. Para onde iriam? Por que se dariam o trabalho? E quem são, afinal de contas, essas pessoas? Motivação, objetivo, identidade: tudo foi solapado pela areia movediça da pós-modernidade.

Diante disso, muitos cristãos tentaram — e alguns continuam a tentar — negar a presença da pós-modernidade; tentaram preservar o mundo moderno em que se sentiam à vontade, ao qual pregavam um evangelho modernista, quer tivessem consciência disso quer não. Muitos desejam, cultural e teologicamente, voltar no tempo. É impossível. Minha proposta para você nestes dois últimos capítulos é que não devemos temer a crítica pós-moderna. Ela precisava acontecer e, creio eu, é um julgamento necessário sobre a arrogância da modernidade, um julgamento que vem de dentro. Nossa tarefa consiste em refletir sobre esse momento de desesperança em nossa cultura e, ao fazê-lo de forma bíblica e cristã, atravessar esse momento de desesperança e encontrar a saída. Por isso, quero tratar em mais detalhes da ressurreição e da narrativa do caminho de Emaús, e desejo fazê-lo através das lentes do poema que chamamos salmos 42 e 43.

Salmos 42 e 43

Os salmos que chamamos 42 e 43 são, na verdade, um só poema em três estrofes. Cada estrofe termina com uma versão do magnífico refrão:

> Por que você está tão abatida, ó minha alma?
>   Por que está tão triste?
> Espere em Deus! Ainda voltarei a louvá-lo,
>   meu Salvador e meu Deus!

E esse salmo traz a belíssima oração que fazemos bem em repetir ao considerar nosso chamado:

> Envia a tua luz e a tua verdade,
>   para que me guiem.
> Que elas me conduzam ao teu santo monte,
>   ao lugar onde habitas.
> Ali, irei ao altar de Deus,
>   a Deus, fonte de toda a minha alegria.
> Eu te louvarei com minha harpa,
>   ó Deus, meu Deus!
>
> Salmos 43.3-4

Consideremos rapidamente o poema a fim de identificar sua forma e sua tônica. O tema geral é estar na presença de Deus. No nível mais óbvio, o poema foi escrito por alguém que experimentou a presença de Deus no templo em Jerusalém; esse alguém se recorda da empolgação de estar perto de Deus, experiência que cria um anseio profundo e uma forte sensação de perda, pois ele não está mais lá.

Logo, nos versículos 1-5, ele se encontra em um estado de grave depressão (como chamaríamos hoje):

> Como a corça anseia pelas correntes de água,
>   assim minha alma anseia por ti, ó Deus.
> Tenho sede de Deus, do Deus vivo;
>   quando poderei estar na presença dele?
> Dia e noite, as lágrimas têm sido meu alimento,
>   enquanto zombam de mim o tempo todo,
>   dizendo: "Onde está o seu Deus?".
>
> Meu coração se enche de tristeza,
>   pois me lembro de como eu andava com a multidão de adoradores,
> à frente do cortejo que subia até a casa de Deus,
>   cantando de alegria e dando graças,
>   em meio aos sons de uma grande festa.
>
> Por que você está tão abatida, ó minha alma?
>   Por que está tão triste?

> Espere em Deus!
> Ainda voltarei a louvá-lo,
> meu Salvador e meu Deus!

Ele tem sede de Deus, como uma corça no deserto; ele está em lágrimas 24 horas por dia; sua memória de tempos mais felizes só o faz sentir-se pior. Resta-lhe apenas o diálogo interior: Por que tanto pesar? Espere em Deus; eu voltarei a adorá-lo.

Em seguia, em 42.6-11, ele se lembra da experiência de estar na presença de Deus:

> Agora estou profundamente abatido,
> mas me lembro de ti,
> desde o distante monte Hermom, onde nasce o Jordão,
> desde a terra do monte Mizar.
> Ouço o tumulto do mar revolto,
> enquanto suas ondas e correntezas passam sobre mim.
> Durante o dia, porém, o Senhor me derrama seu amor,
> e à noite entoo seus cânticos
> e faço orações ao Deus que me dá vida.
>
> Clamo: "Ó Deus, minha rocha,
> por que te esqueceste de mim?
> Por que tenho de andar entristecido,
> oprimido por meus inimigos?".
> Os insultos deles me quebram os ossos;
> zombam de mim o tempo todo,
> dizendo: "Onde está o seu Deus?".
>
> Por que você está tão abatida, ó minha alma?
> Por que está tão triste?
> Espere em Deus!
> Ainda voltarei a louvá-lo,
> meu Salvador e meu Deus!

Ele está distante de Jerusalém, na terra do Jordão ou no alto do monte Hermom. Ele sabe que, teoricamente, yhwh está com ele, e sabe que pode orar a yhwh; ainda assim, porém, sente-se distante. Inimigos o oprimem, as pessoas zombam da aparente ausência de sinais da presença de Deus. Ele anseia estar de volta em Jerusalém, onde é possível perceber a presença e a graça de Deus, onde todos se encontram enlevados em adoração e louvor, e mais uma vez ele se lembra de ter esperança. Dizer a si mesmo para ter esperança não é o mesmo que ter esperança, mas, se é a única coisa que conseguimos fazer, é melhor que nada.

Em seguida, no que chamamos salmo 43, na verdade a terceira e última estrofe do mesmo poema, o problema se torna mais nítido. O salmista não está apenas geograficamente distante da casa de Deus; está cercado de pessoas cujo modo de vida como um todo é radicalmente contrário a Deus:

> Declara-me inocente, ó Deus!
> > Defende-me desse povo mau,
> > livra-me dos falsos e injustos.
> Pois tu és minha fortaleza, ó Deus;
> > por que me rejeitaste?
> Por que tenho de andar entristecido,
> > oprimido por meus inimigos?
> Envia a tua luz e a tua verdade,
> > para que me guiem.
> Que elas me conduzam ao teu santo monte,
> > ao lugar onde habitas.
> Ali, irei ao altar de Deus,
> > a Deus, fonte de toda a minha alegria.
> Eu te louvarei com minha harpa,
> > ó Deus, meu Deus!
>
> Por que você está tão abatida, ó minha alma?
> > Por que está tão triste?
> Espere em Deus!
> > Ainda voltarei a louvá-lo,
> > meu Salvador e meu Deus!

Os inimigos são ímpios, enganadores e injustos. O salmista se vê impotente diante deles, e Deus parece tê-lo abandonado. Aqui, no ponto mais baixo do poema, ele faz a belíssima oração ao redor da qual o poema todo gira (43.3): a oração para que a luz e a verdade de Deus o encontrem e o conduzam para casa a fim de que louve a Deus outra vez. Ele está distante de Jerusalém e precisa ser conduzido de volta com alegria, como Israel no deserto foi conduzido pela coluna de nuvem e de fogo, a estranha presença simbólica do Deus vivo. Luz e verdade são as coisas de que precisamos, não apenas quando nosso intelecto está cheio de curiosidade e carece de estímulo, mas também quando todo o nosso ser está perdido, abatido, deprimido, sedento por Deus. Em seguida, o salmista repete novamente o refrão: "Por que está tão triste? Espere em Deus! Ainda voltarei a louvá-lo, meu Salvador e meu Deus!".

Mantenha esse poema em mente ao nos voltarmos para o Novo Testamento e use a linguagem e as imagens que ele fornece como cenário visual, ou talvez como acompanhamento musical, para a narrativa que examinaremos em seguida, o relato dos dois discípulos no caminho para Emaús em Lucas 24.13-35.

O caminho para Emaús

Se pensarmos em Lucas como artista plástico, essa é uma de suas pinturas mais sublimes:

> Naquele mesmo dia, dois dos seguidores de Jesus caminhavam para o povoado de Emaús, a onze quilômetros de Jerusalém. No caminho, falavam a respeito de tudo que havia acontecido. Enquanto conversavam e discutiam, o próprio Jesus se aproximou e começou a andar com eles. Os olhos deles, porém, estavam como que impedidos de reconhecê-lo.
>
> Jesus lhes perguntou: "Sobre o que vocês tanto debatem enquanto caminham?".
>
> Eles pararam, com o rosto entristecido. Então um deles, chamado Cleopas, respondeu: "Você deve ser a única pessoa em Jerusalém que não sabe das coisas que aconteceram lá nos últimos dias".
>
> "Que coisas?", perguntou Jesus.
>
> "As coisas que aconteceram com Jesus de Nazaré", responderam eles. "Ele era um profeta de palavras e ações poderosas aos olhos de Deus e de todo o povo. Mas os principais sacerdotes e outros líderes religiosos o entregaram para que fosse condenado à morte e o crucificaram.

Tínhamos esperança de que ele fosse aquele que resgataria Israel. Isso tudo aconteceu há três dias.

"Algumas mulheres de nosso grupo foram até seu túmulo hoje bem cedo e voltaram contando uma história surpreendente. Disseram que o corpo havia sumido e que viram anjos que lhes disseram que Jesus está vivo. Alguns homens de nosso grupo correram até lá para ver e, de fato, tudo estava como as mulheres disseram, mas não o viram".

Então Jesus lhes disse: "Como vocês são tolos! Como custam a entender o que os profetas registraram nas Escrituras! Não percebem que era necessário que o Cristo sofresse essas coisas antes de entrar em sua glória?". Então Jesus os conduziu por todos os escritos de Moisés e dos profetas, explicando o que as Escrituras diziam a respeito dele.

Aproximando-se de Emaús, o destino deles, Jesus fez como quem seguiria viagem, mas eles insistiram: "Fique conosco esta noite, pois já é tarde". E Jesus foi para casa com eles. Quando estavam à mesa, ele tomou o pão e o abençoou. Depois, partiu-o e lhes deu. Então os olhos deles foram abertos e o reconheceram. Nesse momento, ele desapareceu.

Disseram um ao outro: "Não ardia o nosso coração quando ele falava conosco no caminho e nos explicava as Escrituras?". E, na mesma hora, levantaram-se e voltaram para Jerusalém. Ali, encontraram os onze discípulos e os outros que estavam reunidos com eles, que lhes disseram: "É verdade que o Senhor ressuscitou! Ele apareceu a Pedro!".

Então os dois contaram como Jesus tinha aparecido enquanto andavam pelo caminho, e como o haviam reconhecido quando ele partiu o pão.

Primeiro, temos de considerar os acontecimentos que Lucas descreve aqui. Era a tarde do primeiro dia da Páscoa. Coisas estranhas de toda espécie haviam ocorrido pela manhã, e os discípulos ainda não faziam ideia do que se passava. O dia avança, e dois discípulos resolvem voltar para Emaús, onde moram. Um desconhecido misterioso começa a caminhar com eles e a falar sobre os acontecimentos recentes. A fim de entender essa seção de forma histórica, é essencial captar seu ponto central, declarado no versículo 21. Os dois discípulos dizem: "Tínhamos esperança de que ele fosse aquele que resgataria Israel".

Em que contexto eles falam? Qual é seu problema?

Esses discípulos tinham vivenciado uma história, uma narrativa central. Essa narrativa foi construída com base em precedentes históricos, em promessas proféticas e, é claro, em cânticos do Saltério. O êxodo era o cenário. As ocasiões posteriores em que Deus libertou seu povo de diversas potências estrangeiras formaram camadas narrativas sucessivas que apontavam todas para a mesma direção. Quando a opressão pagã estivesse em seu ápice, o deus de Israel interviria e salvaria seu povo mais uma vez: "Por que você está tão abatida, ó minha alma? Por que está tão triste? Espere em Deus! Ainda voltarei a louvá-lo, meu Salvador e meu Deus!".

De modo específico, como vimos anteriormente, a maioria dos judeus do primeiro século acreditava que o exílio ainda não tinha, verdadeiramente, chegado ao fim. As grandes promessas proféticas ainda não haviam se cumprido. Israel ainda precisava de "redenção", o que, em sua linguagem, correspondia obviamente ao êxodo. O êxodo foi o momento decisivo de aliança; agora, precisavam de uma renovação dessa aliança. Podemos imaginar os judeus orando o salmo 43 em uma situação bastante concreta: "Declara-me inocente, ó Deus! Defende-me desse povo mau, livra-me dos falsos e injustos. [...] Envia a tua luz e a tua verdade, para que me guiem. [...] Por que você está tão abatida, ó minha alma? [...] Espere em Deus!". Desse modo, as Escrituras hebraicas ofereciam a Jesus e a seus contemporâneos *uma narrativa em busca de um final*. Os seguidores de Jesus imaginaram que o final se concretizaria com Jesus. E, claramente, não era o que havia acontecido.

Como imaginavam que ocorreria esse desfecho? Os movimentos messiânicos e proféticos nos séculos antes e depois de Jesus contam uma história razoavelmente clara. O método era simples: santidade, zelo por Deus e pela lei e uma revolta militar. O remanescente santo, com Deus ao seu lado, derrotaria as hordas pagãs. Era o que sempre havia ocorrido nas Escrituras; era o que acreditavam que ocorreria quando chegasse o magnífico ápice, em que o Deus de Israel se tornaria Rei de todo o mundo. "Tínhamos esperança de que ele fosse aquele que resgataria Israel." Estavam seguindo a instrução do salmo: "Espere em Deus! Ainda voltarei a louvá-lo, meu Salvador e meu Deus!".

A crucificação de Jesus foi, portanto, a devastação completa e final de suas esperanças. Crucificação é o que acontece com aqueles que pensam que vão libertar Israel e descobrem, tarde demais, que estão equivocados. Não se tratava apenas de os seguidores de Jesus saberem, com base em

Deuteronômio, que uma pessoa crucificada estava sob a maldição de Deus. Também não era questão de ainda precisarem desenvolver uma teologia da morte expiatória de Jesus. A crucificação já era investida, para eles, de significado completamente teológico, bem como político: significava que o exílio teria continuidade, que Deus ainda não havia perdoado os pecados de Israel, que os pagãos ainda estavam governando o mundo. Sua sede de redenção e seu desejo de que a luz e a verdade de Deus viessem conduzi-los ainda não haviam sido saciados. Como historiadores, precisamos ter isso tudo em mente se desejamos entender o nível mais básico de Lucas 24.

Por certo, isso explica por que os dois discípulos discutiam tão acaloradamente. Haviam percorrido um caminho que supostamente os levaria à liberdade. Descobriram, contudo, que era uma rua sem saída. Como eles explicam para o desconhecido misterioso, todos os sinais estavam presentes: Jesus de Nazaré havia, verdadeiramente, sido um profeta poderoso em feitos e palavras; Deus tinha estado com ele, e o povo o havia aprovado. Sem dúvida, Jesus era aquele por meio de quem a história chegaria a seu ponto culminante e Israel seria libertado! Como podiam ter estado tão enganados, como a execução de Jesus por seus líderes e governantes mostrou que estavam?

E agora, a confusão só piora, pois o desconhecido fala de um corpo que desapareceu e de uma visão de anjos. Esses acontecimentos não eram nada daquilo que eles haviam esperado. Eram enigmas adicionais à tristeza e decepção profundas que estavam sentindo. Ao contrário do que muitos costumam dizer ao descrever a Páscoa, os dois discípulos dessa narrativa não se sentem culpados de terem fugido. Estão tristes, decepcionados e, possivelmente, irados. "Clamo: 'Ó Deus, minha rocha, por que te esqueceste de mim? Por que tenho de andar entristecido, oprimido por meus inimigos?'"

Em resposta, o desconhecido *apresenta a narrativa de forma diferente* e mostra que, dentro dos precedentes históricos, das promessas proféticas e das orações dos salmistas havia um tema e um modelo constantes que, até aquele momento, eles não tinham enxergado. Os sofrimentos de Israel aumentaram no Egito a ponto de se tornarem insuportáveis e, então, ocorreu a redenção. Israel clamou ao Senhor em sua angústia, e ele levantou juízes para libertar seu povo. Os assírios varreram o país e cercaram Jerusalém;

foram rechaçados pelo próprio YHWH quando estavam prestes a conquistar a cidade. Quando Israel estiver abatido, cabisbaixo e pesaroso em virtude da opressão do inimigo, seu Deus agirá e enviará sua luz e sua verdade para conduzir o povo como a coluna de nuvem e de fogo no deserto.

E, embora a Babilônia tivesse sido bem-sucedida onde a Assíria fracassou e tivesse sido seguida de outras nações pagãs, culminando com Roma, os profetas apontaram para a escuridão e declararam que a redenção viria *por meio* das trevas. Israel seria reduzido a um ponto, um remanescente, um Servo, alguém semelhante a um Filho do Homem, atacado por monstros; e esse pequeno grupo passaria pelas águas tempestuosas e pelo fogo e não sofreria nenhum mal. De algum modo, estranhamente, os propósitos salvadores de YHWH para Israel e, por intermédio de Israel, para o mundo se cumpririam por meio do mais intenso sofrimento, e depois de atravessá-lo o exílio teria finalmente sido desfeito, e os pecados teriam finalmente sido perdoados como ato histórico, acompanhado da renovação da aliança e, por fim, do estabelecimento do reino de Deus.

Era dessa forma que a história funcionava; essa era a narrativa que os profetas haviam apresentado em detalhes. Sim, as Escrituras deviam, de fato, ser lidas como uma narrativa que chega a seu ápice. Nunca foram uma simples coletânea de textos de comprovação arbitrários ou atomizados. A mensagem da narrativa nunca foi de que Israel conquistaria seus inimigos e seria estabelecido como supremo governante do mundo. Sempre foi a narrativa de como o Deus criador, o Deus da aliança com Israel, realizaria seus propósitos salvadores para o mundo por meio do sofrimento e da vindicação de Israel. "Então Jesus os conduziu por todos os escritos de Moisés e dos profetas, explicando o que as Escrituras diziam a respeito dele." Não podia ser, de maneira nenhuma, uma simples questão de apresentar textos "messiânicos" de comprovação. Era a narrativa inteira, o enredo completo, o mundo todo de oração e de esperança, focalizado em Israel como portador das promessas de Deus para o mundo; depois, focalizado no remanescente como portador do destino de Israel; e, por fim, focalizado no verdadeiro Rei, aquele ao qual seria transferida a tarefa até mesmo do remanescente. Ele havia sido o servo do povo cujo propósito era servir. Havia feito por Israel e pelo mundo aquilo que Israel e o mundo não podiam fazer por si mesmos.

A tolice e a dificuldade do povo de crer nos profetas não havia sido, portanto, apenas cegueira espiritual. Tinha sido uma questão de narrar e vivenciar a narrativa errada. Agora, porém, de forma repentina, com a narrativa correta em sua mente e em seu coração, começava a surgir diante deles uma nova possibilidade, uma possibilidade imensa, espantosa e emocionante. Será que a chave não servia na fechadura porque estavam tentando abrir a porta errada? Será que a execução de Jesus, em vez de desmentir claramente sua vocação messiânica, não havia constituído sua confirmação e seu ápice? Será que a cruz, em vez de ser mais um exemplo do triunfo do paganismo sobre o povo de Deus, não era o meio usado por Deus para derrotar o mal de uma vez por todas? E se, no final das contas, o exílio devia terminar dessa forma, como os pecados seriam perdoados e o reino viria? E se a luz e a verdade de Deus tinham esse aspecto e haviam chegado de forma inesperada para conduzir seu povo de volta a sua presença?

Quando essa estranha compreensão começou a aflorar em sua mente, chegaram em casa e convidaram o desconhecido para se hospedar com eles. O desconhecido assumiu serenamente o papel de anfitrião e tomou, abençoou e partiu o pão. Eles o reconheceram, e ele desapareceu. E, diante desse reconhecimento, o relato da hora anterior de repente fez sentido: "Não ardia o nosso coração quando ele falava conosco no caminho e nos explicava as Escrituras?". E seu testemunho um para o outro se transforma em fervoroso testemunho para os demais quando os dois voltam apressadamente a Jerusalém, onde, depois de os onze ouvirem essa notícia, acrescentam: "É verdade que o Senhor ressuscitou! Ele apareceu a Pedro!". Os dois discípulos relataram, então, o que havia acontecido no caminho e como haviam reconhecido Jesus quando ele partiu o pão.

Observe o que aconteceu. A oração deles foi respondida. Seu anseio foi satisfeito. Eles voltaram ao monte santo de Deus e a seu lugar de habitação. A luz e a verdade de Deus os conduziram de volta, e sua tristeza foi transformada em louvor.

Claro que não estamos apenas relatando os fatos desse acontecimento. Afinal, em uma narrativa como essa, não existem apenas fatos. Focalizamos, contudo, os discípulos propriamente ditos. Agora, mudemos o foco por alguns momentos e vejamos o que Lucas faz com a narrativa.

Emaús na tela mais ampla de Lucas

A primeira coisa a destacar é a ênfase de Lucas sobre o surpreendente cumprimento das Escrituras na morte e ressurreição de Jesus. Em momentos importantes de cada seção do capítulo (v. 7,26,44ss), Lucas ressalta que a história que ele está narrando faz sentido (e somente o faz) como o magnífico ponto culminante da história contada por Moisés, pelos profetas e por Salmos, a saber, a história de como o Deus criador está salvando o mundo por meio de seu povo, Israel, agora com o foco da ação voltado visivelmente para Jesus, o Messias. Aqui nos ateremos a apenas um desses elementos.

A forma como Lucas apresentou o relato central desse capítulo nos convida a fazer comparações e contrastes com Gênesis 3. O homem e a mulher estão no jardim, dando início à tarefa colocada diante deles de ser portadores da imagem de Deus no mundo recém-criado, isto é, de aplicar sobre toda a criação o amor, o cuidado e a sábia organização de Deus. A mulher tomou do fruto proibido e o deu a seu marido, e ambos comeram do fruto. "Naquele momento, seus olhos se abriram, e eles perceberam que estavam nus" (Gn 3.7). E, em meio à tristeza e à vergonha, eles começaram a discutir sobre responsabilidade e saíram para um mundo confuso cheio de espinhos e ervas daninhas.

Lucas quer nos contar que agora essa história foi revertida. Entendo que os dois discípulos no caminho para Emaús eram marido e esposa, Cleopas e Maria (cf. Jo 19.25). Os espinhos e as ervas daninhas de seu mundo são causa de grande confusão, e eles sofrem tristeza e vergonha, e suas esperanças foram despedaçadas. Depois da maravilhosa exposição das Escrituras feita por Jesus, eles chegam em casa; Jesus toma, abençoa e parte o pão, "e os olhos deles foram abertos e o reconheceram" (o grego é bastante próximo de Gênesis 3.7 na Septuaginta). Tornam-se, portanto, parte da vanguarda do projeto de Deus para restaurar o mundo, em que os portadores de sua imagem levam seu amor perdoador e sua sábia organização — isto é, seu reino — para a criação toda. Earle Ellis destaca em seu comentário que a refeição em Emaús é a oitava cena de refeição no Evangelho, em que a Última Ceia foi a sétima: a semana da primeira criação chegou ao fim, e a Páscoa é o início da nova criação.[3] É chegada a nova ordem mundial de Deus. O exílio acabou: não apenas o exílio de

Israel na Babilônia geográfica e espiritual, mas também o exílio da raça humana, banida do jardim. A nova ordem mundial não tem a aparência que os judeus esperavam, mas precisam se acostumar com o fato de que ela chegou e de que eles são não apenas seus beneficiários, mas também seus embaixadores e testemunhas.

Nesse novo mundo, há uma nova consciência da identidade de Jesus. Observe como Lucas usou esse relato para formar uma moldura e contrabalançar a narrativa que ele apresentou, lá no começo, do menino Jesus no templo (Lc 2.41-52). O vilarejo todo vai a Jerusalém para a Páscoa. Quando termina a festa, os pais de Jesus voltam para casa com todos os seus familiares e amigos. A certa altura, percebem que Jesus não está com eles. Entram em pânico. Voltam às pressas para Jerusalém e passam três dias procurando por ele. Por fim o encontram no templo. "Não sabiam que eu devia estar na casa de meu Pai?", ele pergunta. E eles não entendem o que ele quis dizer.

Observe o que Lucas fez. Essa é a Páscoa posterior. Duas pessoas partem de Jerusalém. Esperaram três dias, com espírito angustiado, e agora deixam a cidade. Dessa vez, Jesus as acompanha, mas o faz incógnito. Ele lhes pergunta: "Não percebem que era necessário que o Cristo sofresse essas coisas antes de entrar em sua glória?". Agora os olhos deles se abrem; eles o reconhecem e voltam correndo para Jerusalém cheios de alegria.

Ao emoldurar o restante do Evangelho dessa forma, Lucas nos dá uma versão histórica dos salmos 42 e 43. Em Lucas 2, temos Maria e José em sua jornada; estão ansiosos para encontrar Deus, mas não conseguem; estão cheios de tristeza e em lágrimas, fora de Jerusalém. Em Lucas 24 temos outro casal, igualmente cheio de tristeza; temos, também, a luz e a verdade de Deus na pessoa de Jesus, a exposição das Escrituras e o partir do pão. Os dois são conduzidos de volta a Jerusalém, à cidade de Deus, ao lugar de esperança e promessa. A última linha do Evangelho de Lucas remete a Salmos 43.4: "Então eles o adoraram e voltaram para Jerusalém cheios de grande alegria. E estavam sempre no templo, louvando a Deus". Em algum lugar ao longo do caminho, literal e metaforicamente, a luz e a verdade de Deus vieram a eles e os conduziram à presença de Deus, ao lugar em que a esperança dá lugar à alegria e em que o pranto é transformado em dança.

E como isso aconteceu? O próprio Messias foi ao lugar de dor, ao lugar em que Israel e, aliás, o mundo inteiro, se encontrava em profunda angústia. Jesus tinha sido abatido e oprimido por seus inimigos. No Getsêmani, citou o refrão triplo dos salmos 42 e 43: "Minha alma está profundamente triste"; e, na cruz, encenou Salmos 42.9: "Clamo: 'Ó Deus, minha rocha, por que te esqueceste de mim?'". Tornou-se o Israel sofredor em favor do Israel sofredor; foi para o exílio — o exílio de Israel, o exílio humano do jardim, o exílio de todo o cosmo — a fim de redimir os exilados. E, ao fazê-lo, tornou-se, na cruz, na ressurreição, na manhã de Páscoa, a encarnação de Salmos 43.3: assim se parecem a luz e a verdade de Deus quando, por fim, em resposta a mil anos de oração, são enviadas da presença de Deus para conduzir o povo de Deus a seu monte santo e a seu lugar de habitação, do lugar de lágrimas para o lugar de esperança e alegria. Onde estão a luz e a verdade de Deus na narrativa? Acaso não estão presentes no caminho, incógnitas, levando os discípulos a entender as Escrituras, e estranhamente reveladas no partir do pão? E acaso isso não nos leva a dizer que a luz e a verdade de Deus estavam presentes, como a coluna de nuvem e de fogo, na sexta-feira anterior, no deserto do Calvário, fora dos muros da cidade, fora do jardim, no lugar de lágrimas em que Deus parece ter escondido sua face para sempre?

A última observação a fazer sobre como Lucas contou a história diz respeito ao símbolo central, meticulosamente repetido, no cerne da narrativa de Emaús. Jesus é reconhecido quando toma, abençoa e parte o pão (v. 30s). Sim, diz Lucas alguns versículos adiante, ao resumir a proclamação empolgada dos dois discípulos: eles descreveram o que aconteceu no caminho — como sabemos, uma exposição completa das Escrituras, em que Jesus recontou a história de Deus — e relataram que Jesus havia se revelado a eles *ao partir o pão*. A menos que sejamos extremamente surdos, é impossível não entender o que Lucas está dizendo. A última vez que Jesus partiu o pão foi, evidentemente, na Última Ceia (Lc 22.19). E o primeiro resumo por Lucas de toda a vida da igreja é apresentado em Atos 2.42 nestas palavras: "Todos se dedicavam de coração ao ensino dos apóstolos, à comunhão, ao partir do pão e à oração". "Partir do pão" só pode estar presente nessa lista porque tem relevância especial. Os primeiros leitores de Lucas devem ter observado que ele associa a exposição das Escrituras ao partir do pão, a palavra ao sacramento, a história ao símbolo, como marcas centrais e normativas da vida da igreja. Lucas diz que o coração é aquecido quando as Escrituras são explanadas a fim de revelar a história verdadeira; e o Senhor é conhecido no partir do pão. Os dois andam juntos, interpretam um ao outro e apontam para o novo mundo, a nova vocação, o reino de Deus e, acima de tudo, para o próprio Jesus como ápice da história de Israel e, agora, como Senhor do mundo.

E, quanto à releitura por Lucas de toda a narrativa do Antigo Testamento, descobrimos finalmente como podemos reler os salmos 42 e 43 dentro de um contexto especificamente cristão. O templo, o lugar em que Deus havia prometido habitar com seu povo, é silenciosa, mas definitivamente, substituído pelo próprio Jesus. E o culto no templo é substituído pelo partir do pão em nome de Jesus. Por que você está tão abatida, ó minha alma? Por que está tão triste? Espere em Deus! Espere na Palavra que se fez carne, no Deus que chorou no Getsêmani e se tornou aquele que foi abandonado por Deus no Calvário, no Deus que vem a nós incógnito no caminho, como luz e verdade que nos conduzem para seu santo monte, seu lugar de habitação, que prepara uma mesa para nós na presença de nossos inimigos, que se revela no partir do pão. Espere nesse Deus e você ainda voltará a louvá-lo, seu Salvador e seu Deus.

De Emaús para a praia de Dover

Que relevância tudo isso tem para a missão cristã em um mundo pós--moderno? Permita-me recapitular o que eu disse no início do capítulo. Somos lembrados exaustivamente de que, ao contrário do que foi anunciado, a realidade não é uma maravilha; as coisas que imaginávamos que constituíssem fatos eram, na verdade, propaganda enganosa. Ficamos espantados de descobrir que o eu autônomo, tão valorizado no mundo ocidental entre os séculos 18 e 20, muitas vezes em algumas versões do cristianismo, foi desconstruído e transformado em um turbilhão de forças e impulsos diversos. Vimos a pós-modernidade demolir as narrativas centrais que a modernidade, incluindo a modernidade cristã, usava para conferir ordem a seu mundo. Resta-nos apenas o grande bufê pós-moderno em que a pessoa pode escolher o que lhe agradar.

Como apresentar o evangelho de Jesus a esse mundo? Não podemos simplesmente atirar nele verdadeira doutrina. Acabaremos oprimindo ou afastando outros. É bom que não possa ser dessa forma, pois missão e evangelismo nunca foram uma questão de atirar doutrina nos outros. Missão e evangelismo funcionam de forma muito mais integral: pela práxis, por símbolo e narrativa, por meio daquilo que consideramos, de modo um tanto modernista, uma exposição "objetiva" da "verdade". Vem à memória a instrução de Francisco de Assis para seus seguidores ao enviá-los: preguem o evangelho por todos os meios possíveis e, se realmente for necessário, *podem até usar palavras*. Também sou lembrado do poder da práxis simbólica de ir além das palavras quando penso em uma das maiores bailarinas de todos os tempos. Depois de uma de suas belas apresentações, alguém teve a temeridade de lhe perguntar qual era o *significado* de sua dança. Sua resposta foi simples, e diz muita coisa para nós quando refletimos sobre missões no mundo pós-moderno: "Se eu fosse capaz de expressar em palavras, não precisaria ter dançado".

Proponho, aliás, que se o pós-modernismo é a morte da cultura moderna, muitos de nós ainda nos encontramos em situação semelhante à dos discípulos no caminho para Emaús. Como cristãos ocidentais, apegamo-nos demais ao modernismo e ficamos estarrecidos de descobrir que ele está morrendo faz algum tempo e, a esta altura, está mais ou menos completamente morto. Temos de aprender a ficar atentos para o desconhecido misterioso no caminho, que explicará para nós por que era necessário que essas coisas ocorressem e dirá que existe um mundo novo esperando para nascer, do qual fomos chamados para ser parteiras. A resposta para o desafio do pós-modernismo não consiste em regressar, aos prantos, para os braços do modernismo. Antes, a resposta consiste em ouvir, na pós-modernidade, o julgamento de Deus sobre a insensatez, os insucessos e a pura arrogância egoísta da modernidade, e buscar a ressurreição no novo mundo de Deus que transcende este mundo, orar por ela e trabalhar por ela. Estamos em um ponto de mudança cultural; a missão cristã no mundo pós-moderno precisa ser o meio pelo qual a igreja toma a iniciativa e torna possível nosso mundo voltar-se para a direção certa.

Temos de nos acostumar, portanto, com uma missão que abrange a vivência da verdadeira práxis cristã. A práxis cristã consiste no amor de

Deus em Cristo derramado em nós e por nosso intermédio. Quando esse derramamento acontece, não é prejudicado pela crítica pós-moderna, pela hermenêutica da suspeita que insiste em enxergar todas as asserções da verdade com olhos cheios de preconceito. Temos de nos habituar a contar a história de Deus, de Israel, de Jesus e do mundo como a verdadeira metanarrativa, a história de cura e de amor abnegado. Temos de nos habituar a viver como aqueles que verdadeiramente morreram e ressuscitaram com Cristo, para que nosso ego, depois de ser inteiramente desconstruído, possa ser reconstruído não pelas prioridades que o mundo nos impõe, mas pelo Espírito de Deus.

Aqueles que estão envolvidos na narrativa, que aprendem a reordenar sua vida em conformidade com os símbolos são, repetidamente, chamados com uma vocação. A vocação faz parte da verdade e, repetidamente, só compreendemos Deus — na medida em que é possível fazê-lo — quando narrativa, símbolo e práxis se unem em nossa vida, quando passamos pelos salmos 42 e 43 e vamos do desespero à adoração, quando andamos tristemente pelo caminho de Emaús e sentimos nosso coração arder dentro de nós ao ouvir a revelação das Escrituras, nossos olhos serem abertos para a presença de Deus em Cristo no partir do pão, nossos pés serem revigorados para ir e anunciar as boas-novas a outros.

A meu ver, portanto, a atual crise cultural no Ocidente não é algo de que devemos tentar nos livrar, como se fosse um fenômeno tolo e passageiro. Ainda que, com frequência, a pós-modernidade seja expressa de formas tolas e efêmeras, a crítica fundamental da arrogância modernista, o que inclui a arrogância cristã modernista, está absolutamente correta. Acredito que não devemos fingir que nada aconteceu e nos apegar a alguma forma de modernidade, imaginando que reconhecer que a pós-modernidade tem razão é conspirar com as forças da destruição. Agir desse modo seria como os dois discípulos tentarem fingir que Jesus não havia sido crucificado, que ainda estava em algum lugar, que tudo estava em ordem, que os soldados romanos perversos e diabólicos não o haviam executado. Talvez lhes parecesse agradável apegar-se aos sonhos de outrora, mas estariam vivendo uma mentira, e não a verdade. Admitir que os soldados haviam executado Jesus não era conspirar com eles ou assentar-se à mesa com o diabo; era simplesmente reconhecer a verdade.

No entanto, também não temos como construir uma cosmovisão cristã a partir do próprio pós-modernismo. Nossa tarefa consiste em descobrir, na prática, qual pode ser o equivalente da ressurreição dentro de nossa cultura e para nosso tempo. Não há como voltar às certezas fáceis do modernismo, quer católicas ou protestantes, quer fundamentalistas ou liberais. A única coisa a fazer é avançar, seguir em direção ao mundo renovado por Deus em sua narrativa, avançar com símbolos que falem de morte e ressurreição, avançar na práxis humilde do evangelho e avançar nesse contexto, com suas muitas camadas, com novos pensamentos, novos argumentos e novo entendimento intelectual. Como são tolos! Como custam a entender o que Deus está fazendo! Não percebem que era necessário que as versões modernistas do cristianismo morressem para que a verdade pudesse ser vislumbrada de uma nova maneira, não como conjunto de doutrinas e teorias, mas como uma pessoa, e como pessoas dentro das quais essa pessoa habita?

E quanto tempo levará para aprendermos que nossa incumbência como cristãos é estar na vanguarda da construção do mundo pós-moderno? A angústia existencial da década de 1960 se tornou a angústia comunitária e cultural da década 1990. Os seres humanos que não conseguiram se reequilibrar na década de 1960 se tornaram as sociedades humanas que não conseguiram se reequilibrar na década de 1990. Qual é a resposta cristã para tudo isso? A resposta cristã é o amor de Deus que passa pela morte e volta à vida. O elemento que falta na equação pós-moderna é, evidentemente, o amor. A radical hermenêutica da suspeita que caracteriza toda a pós-modernidade é, em essência, niilista e nega até mesmo a possibilidade de amor criador ou restaurador. Na cruz e na ressurreição de Jesus, encontramos a resposta: o Deus que fez o mundo é revelado na forma de amor abnegado que nenhuma hermenêutica da suspeita é capaz de tocar, em uma Pessoa que se encontrou ao se entregar, em uma Narrativa que nunca foi manipuladora, mas sempre restauradora e recriadora, e em uma Realidade que pode ser verdadeiramente conhecida; aliás, conhecê-la é descobrir uma nova dimensão de conhecimento, a dimensão de amar e ser amados.

À medida que o novo milênio se desdobra a passos lentos, temos a oportunidade de anunciar essa mensagem ao mundo que precisa dela encarecidamente. Creio que essa é nossa vocação: contar a história, viver conforme os símbolos, exercitar a práxis e responder às perguntas de forma que nos tornemos, em nós mesmos e em nossa missão no mundo de Deus, a resposta para as orações que agora surgem inarticuladamente não apenas de um salmista perplexo, mas de toda a raça humana e de toda a criação de Deus: "Envia a tua luz e a tua verdade, para que me guiem. Que elas me conduzam ao teu santo monte, ao lugar onde habitas". E, quando nós mesmos formos tomados por essa luz e por essa verdade, pela estranha glória de Deus na face de Jesus Cristo, nós, dentro da crise da verdade no mundo contemporâneo, poderemos dizer às partes do mundo que continuam perplexas, às partes de nós mesmos que ainda estão desalentadas: "Por que estão tão abatidas? Por que estão tão tristes? Acaso não era necessário que essas coisas ocorressem? Esperem em Deus! Ainda voltaremos a louvá-lo, nosso Salvador e nosso Deus!". E não diremos isso apenas com palavras, mas com atos: com planos de ação, com práxis simbólica, que revelam na prática o amor restaurador de Deus.

Permita-me encerrar com uma parábola e voltar, mais uma vez, à narrativa do caminho de Emaús. Essa parábola tem como cenário um dos grandes símbolos do secularismo moderno, o poema de Matthew Arnold "Praia de Dover". Nele, Arnold descreve, de sua perspectiva do final do século 19, como aquilo que ele chama "o mar da fé" se esvaziou; a maré recuou; só ouvimos "o rugido longo, melancólico e retrocedente" do mar distante, que nos deixa no escuro, onde, muito profeticamente, "exércitos ignorantes lutam durante a noite". Dois incrédulos circunspectos caminham juntos para casa e procuram entender o mundo do início do século 21. O sonho de progresso e esclarecimento se esgotou. A pós-modernidade crítica apitou fim de jogo para o mundo como o conhecíamos.

> Dois incrédulos andam pela estrada para a praia de Dover. Discutem, animadamente, as presentes circunstâncias. Como é possível as narrativas com base nas quais tantos viveram terem nos decepcionado? Como substituiremos nossos símbolos culturais profundamente ambíguos? O que devemos fazer em nosso mundo, agora que todos os sonhos de progresso foram carimbados com o nome "Babel"?
>
> Jesus entra nessa conversa incógnito. (Felizmente, eles não o reconhecem, pois o modernismo os ensinou a duvidar de todas as religiões e

o pós-modernismo reabilitou tantas crenças que Jesus é apenas um guru entre dezenas de outros.)

— Sobre o que vocês estão conversando? — ele pergunta.

Eles param, semblante entristecido. Então, um deles diz:

— Você deve ser o único por aqui que não sabe o quanto o século 20 foi traumático. Nietzsche, Freud e Marx estavam certos. Tivemos uma guerra para acabar com as guerras, e desde então não tivemos nada além de guerras. Tivemos uma revolução sexual, e agora temos AIDS e mais pessoas sem família do que nunca. Buscamos riqueza, mas tivemos recessões inexplicáveis, e agora metade do mundo está seriamente endividada. Podemos fazer as coisas que nos dão prazer, mas esquecemos por que elas nos dão prazer. Nossos sonhos deram errado, e nem sabemos mais quem somos "nós". E agora, até mesmo a igreja nos deixou na mão ao corromper sua mensagem espiritual com conversas sobre libertação cósmica e política.

— Como vocês são tolos! — diz Jesus. — Como custam a crer em tudo o que Deus criador disse! Nunca ouviram que ele criou o mundo com sabedoria? Que ele agiu nesse mundo para criar um povo verdadeiramente humano? Que, do meio desse povo, ele veio para viver como uma pessoa verdadeiramente humana? Que, na morte dele, tratou do mal de uma vez por todas? Que, neste exato momento, está operando por meio de seu Espírito para criar uma nova família humana em que o arrependimento e o perdão de pecados são a ordem do dia? Que ele está trabalhando para desafiar e derrubar o império da guerra, do sexo, do dinheiro e do poder?

E, começando por Moisés e todos os profetas, e agora também os apóstolos e profetas do Novo Testamento, Jesus interpretou para eles em todas as Escrituras aquilo que diziam a respeito dele.

Então chegaram à praia de Dover. O mar da fé, tendo recuado diante da maré alta do modernismo, estava cheio novamente, pois a maré baixa do pós-modernismo comprovou a veracidade da máxima de Chesterton: quando as pessoas deixam de acreditar em Deus, não passam a acreditar em nada, mas, sim, a acreditar em tudo. Na praia, havia uma grande multidão faminta, que tinha lançado seu pão nas águas retrocedentes do modernismo e descoberto que a maré alta havia trazido tijolos e centopeias. Com movimentos cansados, os dois viajantes começaram a abrir uma pequena cesta de piquenique, absolutamente inadequada para a presente necessidade. Jesus, com toda delicadeza, tomou a cesta e, no que pareceu uma questão de minutos, percorreu toda a praia, indo de um lado para o outro, até que todos estivessem alimentados. Então, os olhos de todos eles se abriram, e perceberam quem ele era; nesse momento, ele desapareceu. E os dois disseram um ao outro: "Não ardia nosso coração quando ele falava conosco no caminho e nos contava a história do criador, e de seu mundo, e de sua vitória sobre o mal?". Então correram de volta para contar a seus amigos o que havia acontecido no caminho e como ele havia se revelado no partir do pão.

Na verdade, essa não é uma narrativa. É uma dramatização da vida real. E cabe a você e a mim fazer o papel de Jesus. Essa é a missão cristã em um mundo pós-moderno. E, caso alguém deseje uma descrição mais específica, quanto à base para essa atividade ou quanto a seu significado na prática, o último capítulo deste livro procurará indicar a direção certa.

8
A luz do mundo

Quero juntar, agora, as duas linhas de discussão que desenvolvemos até aqui e dar forma e foco um pouco mais específicos à tarefa que os cristãos têm diante de si nos primeiros anos do terceiro milênio. Se cremos, em algum sentido, que Jesus é a luz do mundo, como fazer a transição de Jesus e do desafio que ele apresentou a seus contemporâneos para a missão de lançar a luz desse mesmo Jesus sobre nosso mundo? Como aceitar os desafios diante de nós de relacionar o verdadeiro Jesus com nossos trabalhos (principalmente, mas não exclusivamente) nos âmbitos acadêmico e profissional e, da mesma forma, como apresentar ao mundo de hoje o desafio de Jesus?

Como vimos, essa justaposição do estudo histórico de Jesus e da tarefa contemporânea da igreja é considerada, com frequência, bastante problemática. Propus uma ou duas vezes anteriormente (e tenho certeza de que muitos de meus leitores tiveram essa ideia) que, quando situamos Jesus de modo firme e claro em seu contexto judaico do primeiro século e observamos como sua mensagem se relacionava singular e especificamente àquela situação, parece muito mais difícil entender sua relevância para hoje. Estamos tão acostumados a ler (recitar) as parábolas, ou o Sermão do Monte, como se fossem dirigidos basicamente a nós, a nossas igrejas, aos cristãos em geral, como forma de inculcar uma espiritualidade específica, ensinar grandes verdades perenes ou apontar para determinadas normas éticas, que temos medo de permitir que o significado do texto seja algo bem diferente, a saber, o desafio singular de Jesus para seus contemporâneos que levou a sua morte singular na cruz. Neste capítulo final, desejo mostrar que esse medo é infundado e que, pelo contrário, podemos avançar, a partir da singularidade de Jesus, em direção a um modo eficaz, concentrado e profundamente relevante de segui-lo e de moldar nosso mundo com a mensagem e a obra de seu evangelho.

Para entender como passamos da relevância singular e irreproduzível da missão e da mensagem de Jesus a Israel para o chamado da igreja em nossa época ou em qualquer época, a primeira coisa a fazer é compreender o significado pleno da ressurreição física, da qual tratei no capítulo 6. Com muita frequência, minimizamos a ressurreição e consideramos que significa apenas que, afinal de contas, existe vida depois da morte; obviamente, poucos judeus comuns do tempo de Jesus teriam negado essa ideia. Ou então, vemos sua importância apenas no fato de que Jesus está vivo hoje e de que podemos conhecê-lo. Essa é uma verdade gloriosa, mas não é a verdade específica da Páscoa em si. A verdade multifacetada da Páscoa é apresentada em várias passagens do Novo Testamento, mas fica especialmente clara no Evangelho de João. E, em João 20.1,19, João diz com todas as letras que a Páscoa é o primeiro dia da semana.

João não desperdiça palavras. Quando ele diz algo desse tipo duas vezes, sabe o que está fazendo. A questão não é apenas que a Páscoa caiu em um domingo. João quer que seus leitores entendam que a Páscoa é o primeiro dia da nova criação de Deus. A manhã de Páscoa é o aniversário do novo mundo de Deus. No sexto dia da semana, a sexta-feira, Deus terminou toda a sua obra; o forte brado de *tetelestai*, "Está consumado!", em João 19.30 remonta ao sexto dia de Gênesis 1, em que, com a criação dos seres humanos à sua imagem, Deus consumou o trabalho inicial da criação. Agora, de acordo com João (19.5), "Aqui está o homem!": aqui, na Sexta-Feira Santa, está o ser verdadeiramente humano. Em seguida, João nos convida a ver o sábado, o dia de descanso entre a Sexta-Feira Santa e a Páscoa, como o sábado de descanso de Deus depois que a criação foi concluída:

No sétimo dia Deus descansou
    na escuridão do túmulo;
Depois de concluir, no sexto dia,
    toda a sua obra de alegria e de juízo.
A palavra se calou,
    e a água secou,
Todo o pão foi espalhado,
    e a luz deixou o céu.
O rebanho perdeu seu pastor,
    e a semente, com tristeza, foi lançada.

Os cortesãos traíram seu rei,
    e o pregaram a seu trono.
Ó descanso de sábado no Calvário,
    ó serenidade do túmulo abaixo,
Não sabíamos onde
    a mortalha e as especiarias o acalentavam!
Descanse tranquilo, Jesus amado,
    Senhor de César e Rei de Israel,
Onde paira o Espírito,
    na escuridão da primavera.

A manhã de Páscoa é, então, o primeiro dia da semana. A criação está completa; agora, a nova criação pode começar. O Espírito que pairava sobre as águas da criação no princípio agora paira sobre o mundo de Deus, pronto para irromper em vida primaveril. Maria vai ao túmulo enquanto ainda está escuro e, na luz da manhã, encontra Jesus no jardim. Pensa que ele é o jardineiro e, em um sentido importante, ele é. Essa é a nova criação. Esse é o novo Gênesis.

No primeiro dia da semana, ao anoitecer, quando o medo levou os discípulos a fechar as portas, Jesus se colocou no meio deles e disse: "Paz seja com vocês". O ser e o saber do velho mundo não são mais limitações. O que era relevante na velha semana se torna redundante na nova. Com a nova criação, uma nova ordem de existência irrompeu no velho e surpreso mundo, abrindo novas possibilidades. E a mensagem que acompanha esse fato é a antiquíssima mensagem judaica de *Shalom*, Paz: não é apenas uma saudação habitual, mas a expressão profunda, mais uma vez, do que foi realizado na cruz, como João dá a entender de imediato: "Enquanto falava, mostrou-lhes as feridas nas mãos e no lado".

Esse acontecimento é acompanhado (Jo 20.19-23) da comissão, da palavra que se encontra na origem do testemunho, da missão e de todo o discipulado cristão, do trabalho de dar nova forma ao mundo. "Paz seja com vocês!", ele disse novamente. "Assim como o Pai me enviou, eu os envio." E Jesus soprou sobre eles, como muito tempo antes Deus havia soprado nas narinas de Adão e Eva seu fôlego, o fôlego da vida. "Recebam o Espírito Santo. Se vocês perdoarem os pecados de alguém, eles estarão perdoados. Se não perdoarem, eles não estarão perdoados."

Essa é a comissão com três aspectos da qual desejo tratar agora, ao olharmos para Jesus como luz do mundo, como o desafio diante de cada geração. Os três aspectos são: (1) como o Pai me enviou, eu os envio; (2) recebam o Espírito Santo; e (3) se vocês perdoarem os pecados de alguém, eles estarão perdoados; se não perdoarem, eles não estarão perdoados. Deixe-me dar um passo para trás e apresentar esses três aspectos a partir de um ângulo mais aberto que a narrativa de João.

Propus anteriormente que todo o Novo Testamento parte do pressuposto de que Israel havia sido escolhido para ser o povo por meio do qual o Deus criador trataria dos problemas de todo o mundo e os resolveria. A salvação vem dos judeus. Os primeiros cristãos acreditavam que o único Deus verdadeiro havia sido fiel a essa promessa e concedido a salvação por meio do rei dos judeus, o próprio Jesus. Israel era chamado a ser a luz do mundo; a história e a vocação de Israel tinham sido transferidas para Jesus, e somente para ele. Jesus era o verdadeiro Israel, a verdadeira luz do mundo inteiro.

Mas o que significava ser luz do mundo? De acordo com João, significava que Jesus seria levantado para atrair todas as pessoas para si. Na cruz, Jesus revelaria o Deus verdadeiro em ação, como aquele que ama e salva o mundo. Graças ao fato de que a história de Israel com Deus, e de Deus com Israel, chegou ao ápice em Jesus, e graças ao fato de que a história de Jesus chegou ao ápice no Calvário e no túmulo vazio, podemos dizer: eis a luz do mundo. O criador cumpriu sua promessa. De agora em diante, vivemos em uma nova era, o novo mundo que já começou. Agora, a luz brilha na escuridão, e a escuridão não conseguiu apagá-la.

Isso significa que a igreja, constituída dos seguidores de Jesus Cristo, vive no fulgurante intervalo entre a Páscoa e a grande consumação final. Não nos enganemos nem para um lado nem para o outro. Os primeiros cristãos tinham tanta alegria porque sabiam que estavam vivendo não tanto nos últimos dias, embora também fosse verdade, mas nos *primeiros* dias, os dias iniciais da nova criação de Deus. Aquilo que Jesus fez não foi mero exemplo de algo diferente, não foi simples manifestação de uma verdade maior; foi, em si mesmo, o acontecimento e o fato culminantes da história cósmica. Desse ponto em diante, tudo é diferente. Não devemos colocar todo o peso escatológico sobre aquilo que ainda está por vir.

A essência do cristianismo do Novo Testamento é o fato de que o Fim chegou ao presente na pessoa de Jesus, o Messias.

Seria igualmente equivocado, porém, esquecer que, depois da Páscoa, depois de Pentecostes, depois da queda de Jerusalém, a grande consumação final ainda está por vir. Paulo fala a esse respeito em Romanos 8 e em 1Coríntios 15: a criação em si receberá seu êxodo e será libertada de sua escravidão à corrupção, a morte em si será derrotada, e Deus será tudo em todos. Apocalipse 21 fala a esse respeito ao se referir a novos céus e nova terra.[1] Em todas essas situações, o elemento mais glorioso é, obviamente, a presença pessoal, régia e amorosa de Jesus. Das palavras que canto na igreja, algumas das que mais me comovem ainda são de um hino de Natal:

> E nossos olhos enfim o verão,
> Através de seu amor redentor.

Jesus diz que felizes são aqueles que não viram, mas creem; é verdade, mas um dia o veremos como ele é e participaremos da nova criação consumada que, neste momento, ele está planejando e concretizando. Vivemos, portanto, entre a Páscoa e a consumação, seguindo Jesus Cristo no poder do Espírito, comissionados a ser para o mundo o que Jesus foi para Israel, trazendo para nosso mundo a transformação redentora de Deus.

Sejamos claros, também, a respeito da relação entre nosso trabalho presente, de dar nova forma a nosso mundo, e o mundo futuro que Deus pretende formar. Os cristãos sempre tiveram dificuldade de entender e articular essa ideia e, com frequência, distorceram a imagem para um lado ou para outro. Alguns enfatizaram tanto a desvinculação entre o mundo presente, com nosso trabalho nele, e o mundo futuro que Deus formará que, a seu ver, Deus simplesmente jogará este mundo no lixo e nos colocará em um âmbito inteiramente diferente. Não há, portanto, razão para tentar transformar este mundo pela luz de Jesus Cristo. O Armagedom está a caminho, e quem se importa com chuva ácida e com dívidas no Terceiro Mundo? Essa é a via do dualismo; é uma perspectiva radicalmente anticriação e, portanto, é contradita de forma explícita, entre várias outras coisas, pela ênfase de João na Páscoa como o primeiro dia da nova semana, o início da nova criação de Deus.

Em contrapartida, alguns enfatizaram tanto a vinculação entre o mundo presente e o novo mundo vindouro que imaginam que podemos construir o reino de Deus com nosso trabalho árduo. Tenho em mente não apenas o antigo, assim chamado, evangelho social liberal, mas também alguns aspectos de herança calvinista que, em sua reação a dualismos percebidos de uma ou outra espécie, por vezes minimizam a desvinculação radical entre este mundo e o próximo. Esse é um sério equívoco. Quando Deus fizer o que Deus pretende fazer, será um ato de graça inédita, de novidade radical. Em um nível, será bastante inesperado, como uma festa surpresa com convidados que jamais imaginávamos encontrar e comidas deliciosas que jamais imaginávamos provar. Ao mesmo tempo, contudo, haverá a percepção de que tudo é como deve ser, uma rica vinculação com o que veio antes; portanto, no meio de nossa surpresa e alegria, diremos: "Claro! Era assim que devia ser, embora jamais houvéssemos imaginado".

O ponto de vinculação que desejo enfatizar aqui, por ser tão essencial para nossa tarefa de dar forma ao mundo de Deus, ao nosso mundo, se encontra no final de 1Coríntios 15. Como vimos anteriormente, esse capítulo é uma descrição densa, detalhada e complexa da ressurreição final e da natureza de nossa futura encarnação. Bem no final, no versículo 58, Paulo diz algo que pode parecer um anticlímax. Se escrevêssemos um capítulo sobre a ressurreição, provavelmente o encerraríamos com um grito de louvor pelo glorioso futuro que nos espera. Um final como esse também seria apropriado. Contudo, Paulo encerra da seguinte forma: "Portanto, meus amados irmãos, sejam fortes e firmes. Trabalhem sempre para o Senhor com entusiasmo, pois vocês sabem que nada do que fazem para o Senhor é inútil". O que ele está dizendo? O seguinte: parte da realidade sobre a ressurreição do corpo é que há *vinculação* fundamental e relevante, bem como desvinculação, entre este mundo e aquele que virá, justamente porque o novo mundo já teve início na Páscoa e em Pentecostes e porque todas as coisas feitas com base na ressurreição de Jesus e no poder do Espírito já pertencem a esse novo mundo, já fazem parte da construção do reino que Deus está realizando nessa nova semana da nova criação.

Por isso, em 1Coríntios 3.10-15, Paulo se refere a Jesus como alicerce e diz que as pessoas constroem sobre esse alicerce com ouro, prata e pedras preciosas, ou talvez com madeira, feno e palha. Se construirmos sobre o alicerce no presente com ouro, prata e pedras preciosas, *nosso trabalho permanecerá*. No Senhor, nosso trabalho não é vão. Não estamos lubrificando as engrenagens de uma máquina que logo cairá por um despenhadeiro. No entanto, também não estamos construindo o reino de Deus com nossos próprios esforços. Estamos seguindo Jesus e dando forma a nosso mundo no poder do Espírito; e quando vier a consumação final, o trabalho que tivermos realizado, quer seja em estudo bíblico ou em bioquímica, quer em pregação ou em matemática pura, ele permanecerá, durará.

O fato de vivermos dentro dessa estrutura escatológica e, por assim dizer, entre o início do Fim e o fim do Fim, deve nos capacitar para que aceitemos nossa vocação de ser para o mundo o que Jesus foi para Israel e, no poder do Espírito, perdoar ou não perdoar pecados. A imagem que me ajuda ao tentar compreender essa ideia é a de 1Coríntios 3, em que Jesus constitui o alicerce, e nossa tarefa é construir o edifício.

Primeiro, o alicerce é singular e irreproduzível. Se tentarmos lançar novamente um alicerce, estaremos cometendo apostasia. A igreja leu os Evangelhos com tanta frequência como o ensino de verdades perenes que chegou à conclusão de que Jesus fez algo para seu tempo e de que devemos simplesmente fazer o mesmo e ensinar as mesmas verdades, ou viver da mesma forma, para nosso tempo. De acordo essa abordagem, Jesus nos deu excelente exemplo; cabe a nós apenas imitá-lo. De forma isolada, essa ideia é uma negação radical do plano de Deus que tinha Israel como centro e do fato de que aquilo que Deus fez em Jesus, o Messias, foi singular, culminante e decisivo. Quem pensa desse modo por vezes acaba transformando a cruz simplesmente no modelo maior de amor abnegado, e não no momento da história em que o Deus de amor derrotou os poderes do mal e tratou de uma vez por todas do pecado do mundo, de nosso pecado. Também nesse caso, o evangelho é transformado em bons conselhos em lugar de boas-novas. Não. Há somente um alicerce, e quando edificamos algo temos de voltar e verificar esse alicerce para saber que tipo de construção já existe e qual é a melhor forma de prosseguir. Antes de dizer: "A igreja está para o mundo como Jesus está para Israel", temos de dizer: "A igreja está para o mundo *porque* Jesus está para Israel". Aquilo que Jesus fez foi singular, culminante e decisivo. Essa é, verdadeiramente, a justificativa teológica suprema para a busca contínua pelo Jesus histórico.

Segundo, porém, uma vez lançado o alicerce, ele fornece o modelo, a forma, a base para que um edifício seja construído. Não precisamos realizar o que Jesus realizou; não podemos fazê-lo, e a mera suposição de que somos capazes de imitá-lo dessa forma seria uma negação daquilo que ele realizou. Antes — e isso é algo absolutamente essencial para entender o que acontece —, nossa tarefa consiste em *implementar* sua *realização* singular. Somos como músicos chamados para tocar e cantar conforme uma partitura ímpar, que nunca se repetirá. Não precisamos reescrevê-la, mas precisamos tocá-la. Ou, na imagem que Paulo usa em 1Coríntios 3, agora desempenhamos a função de jovens arquitetos que descobrem um alicerce já lançado por um arquiteto mestre e precisamos entender que tipo de edifício ele tinha em mente. Fica evidente que ele pretendia que houvesse uma entrada principal aqui; os cômodos principais deviam ser deste lado, com esta vista; uma torre nesta extremidade; e assim por diante. Ao estudar os Evangelhos e observar a mensagem, o desafio, a advertência e o chamado singulares e irreproduzíveis de Jesus para Israel, estamos olhando para o alicerce singular sobre o qual os seguidores de Jesus devem, agora, construir o edifício do reino, a casa de Deus, o lugar de habitação do Espírito de Deus.

Caso alguém considere tudo isso arbitrário demais, deixado nas mãos do acaso, temos repetidamente a promessa de que o espírito do arquiteto mestre habitará em nós, impelindo-nos, guiando-nos, corrigindo nossos erros, advertindo-nos de perigos adiante, capacitando-nos para o trabalho de construção — se nos dispusermos a obedecer — com materiais que, como veremos no final, eram ouro, prata e pedras preciosas. "Assim como o Pai me enviou, eu os envio [...]. Recebam o Espírito Santo." Os dois andam juntos. Como em Gênesis, agora no novo Gênesis, na nova criação, Deus sopra seu fôlego nas narinas humanas, e nos tornamos intendentes que cuidam do jardim e dão forma ao mundo de Deus como obedientes portadores de sua imagem. Aliás, Paulo usa a imagem do jardineiro ao lado da imagem do construtor em 1Coríntios 3. Cabe a nós implementar a realização singular de Jesus.

Essa perspectiva deve abrir os Evangelhos para nós de uma forma inteiramente nova. Tudo o que lemos neles nos diz algo a respeito do alicerce sobre o qual somos chamados a construir. Tudo, portanto, nos fornece indícios de como o edifício deve ser. A igreja deve estar para o mundo como Jesus estava para Israel.

Talvez você diga, porém, que Israel era, por definição, o povo singular de Deus, chamado para ser a luz do mundo, a cidade no monte que não pode ser escondida. As pessoas para as quais ministramos, com as quais trabalhamos, nossos colegas no laboratório de ciências da computação, ou no departamento de artes plásticas, as pessoas que atendemos no supermercado ou que trabalham na usina elétrica, não são judeus do primeiro século. Como podemos chamá-las da forma que Jesus chamou seus contemporâneos? Como desafiá-las do mesmo modo? O que é o equivalente? Qual é a chave que nos ajuda a traduzir a mensagem de Jesus e torná-la nossa mensagem?

A chave é o fato de que os seres humanos são criados à imagem de Deus. Esse é o equivalente, na tela mais ampla, da situação e vocação singulares de Israel. E ser portadores da imagem de Deus não é apenas um fato; é uma vocação. Significa ser chamados para refletir para o mundo o amor criador e redentor de Deus. Significa ser criados para relacionamentos, para intendência, para adoração, ou, de modo mais vívido, para sexo, jardinagem e Deus. Os seres humanos sabem em seu cerne que são feitos uns para outros, feitos para cuidar deste mundo e lhe dar forma, criados para adorar aquele à imagem do qual foram feitos. Mas, como Israel com sua vocação, nós seres humanos nos equivocamos. Adoramos outros deuses e começamos a refletir a imagem deles, e não de Deus. Distorcemos nossa vocação para a intendência e a transformamos em sede de poder; tratamos o mundo de Deus como se fosse uma mina de ouro ou um cinzeiro. E distorcemos nosso chamado para relacionamentos humanos belos, restauradores, criativos e multifacetados, transformando-os em exploração e abuso. Marx, Nietzsche e Freud descreveram um mundo caído em que dinheiro, poder e sexo se tornaram a norma e tomaram o lugar de relacionamento, intendência e adoração. Parte do propósito da pós-modernidade, debaixo da estranha providência de Deus, consiste em pregar a Queda para a modernidade arrogante. Aquilo que enfrentamos em nossa cultura é a versão pós-cristã da doutrina do pecado original: toda empreitada humana é radicalmente falha, e os jornalistas que têm prazer em destacar esse fato estão apenas contando, repetidamente, a história de Gênesis e a aplicando a líderes, políticos, membros da família real e estrelas da música de nossos dias. Como cristãos portadores da imagem de Deus e que o amam, como imitadores de Cristo cheios do Espírito que seguem Jesus e dão forma a este mundo, nossa tarefa consiste em anunciar a redenção ao mundo que descobriu sua condição caída; anunciar cura ao mundo que descobriu sua enfermidade; proclamar amor e confiança ao mundo que conhece apenas exploração, medo e suspeita.

Logo, a chave que proponho para transformar a mensagem singular de Jesus ao Israel de sua época em nossa mensagem a nossos contemporâneos é entender o paralelo, entretecido profundamente em ambos os Testamentos, entre o chamado humano para ser portador da imagem de Deus e o chamado de Israel para ser luz do mundo. Os seres humanos foram criados para refletir a intendência criadora de Deus no mundo. Israel foi formado para aplicar ao mundo o amor resgatador de Deus. Jesus veio como o verdadeiro Israel, a verdadeira luz do mundo e a verdadeira imagem do Deus invisível. Foi o verdadeiro judeu, o verdadeiro ser humano. Jesus lançou o alicerce, e devemos construir sobre ele. Devemos ser portadores de seu amor redentor e de sua intendência criadora; devemos celebrá-los, exemplificá-los, proclamá-los, dançar ao som de sua música.

"Assim como o Pai me enviou, eu os envio [...]. Recebam o Espírito Santo. Se vocês perdoarem os pecados de alguém, eles estarão perdoados. Se não perdoarem, eles não estarão perdoados." A ordem final dupla está no lugar certo. Devemos ir ao mundo com autoridade divina para perdoar e não perdoar pecados. Quando Jesus perdoou pecados, foi acusado de blasfêmia; o que dizer de nós? Resposta: podemos perdoar pecados em razão da dádiva do Espírito Santo. É propósito de Deus realizar por nosso intermédio, para o mundo mais amplo, aquilo para que Jesus lançou o alicerce. Devemos vivenciar e contar a história do filho pródigo e do irmão mais velho; devemos anunciar o acolhimento alegre, exuberante, profundamente restaurador de Deus aos pecadores e, ao mesmo tempo, a triste mas implacável oposição de Deus aos que persistem em sua arrogância, opressão e ganância. Seguir a Cristo no poder do Espírito significa trazer a nosso mundo a forma do evangelho: perdão, a melhor notícia de todas para aqueles que anseiam por ele, e julgamento para todos que insistem em desumanizar a si mesmos e outros com seu orgulho, sua injustiça e sua ganância persistentes.

Veja como funciona ao refletirmos, de modo bastante sucinto, sobre a missão de Jesus a Israel, sua proclamação do reino, da qual tratei em capítulos anteriores. Jesus anunciou que era chegada a hora; Deus estava, por fim, se tornando Rei da forma que sempre havia planejado. Esse foi o fim do exílio, a derrota do mal, a volta de YHWH a Sião. Pois bem, a primeira coisa a dizer é que isso ocorreu em Jesus. Deus verdadeiramente realizou essa obra. O alicerce foi lançado. O jardim foi plantado. A partitura foi escrita. Os principados e potestades que nos mantinham no exílio foram derrotados; eles precisam ser lembrados desse fato, e nós também, mas é um fato; se não é um fato, a cruz foi um fracasso. Cabe a nós, agora, construir o edifício, cuidar do jardim, tocar conforme a partitura. A raça humana esteve no exílio; foi exilada do jardim, trancada para fora do edifício, bombardeada com ruídos em lugar de música. Cabe a nós, agora, anunciar em atos e em palavras que o exílio chegou ao fim: encenar os símbolos que falam de cura e perdão, agir com ousadia no mundo de Deus pelo poder do Espírito. Como propus anteriormente, a maneira correta de explanar as parábolas hoje em dia é perguntar: o que devemos fazer no mundo de Deus que possa suscitar as perguntas cheias de perplexidade ou mesmo de ira para as quais parábolas como essas seriam a resposta correta?

Sob o risco de invadir áreas das quais tenho pouco ou nenhum conhecimento, permitam-me apenas indicar algumas formas pelas quais imagino que essa ideia possa ser posta em prática. Se você trabalha com tecnologia de informação, qual é a tendência de sua disciplina? É mais voltada para o desejo de poder ou para o desejo de amor? Parece buscar a tecnologia como um fim em si, usa informação como meio de colocar em desvantagem aqueles que não têm acesso em comparação com aqueles que têm? Está se desenvolvendo a serviço de relacionamentos verdadeiros, intendência verdadeira e até mesmo adoração verdadeira, ou alimenta e incentiva uma sociedade em que cada um cria seu mundo pessoal e narcisista fechado? A definição de pecado por Lutero era *homo incurvatus in se*, seres humanos voltados para si mesmos. Sua disciplina alimenta essa ideia ou a desafia? Talvez você não possa mudar o modo como a disciplina funciona. Talvez você possa dar alguns passos nessa direção, caso tenha tempo e oportunidade, mas essa não é, necessariamente, sua vocação. Seu trabalho consiste em encontrar maneiras simbólicas de fazer as coisas de forma diferente, de fincar bandeiras em solo hostil, de erigir placas de sinalização que digam que existe um jeito diferente de sermos humanos. E, quando as pessoas ficarem perplexas com suas atitudes, seu trabalho consiste em encontrar maneiras, novas maneiras, de contar a história do regresso da raça humana de seu exílio e usar essas narrativas como sua explicação.

Ou suponhamos que você trabalhe com artes plásticas, música ou arquitetura. Sua disciplina ainda está atolada na arrogância da modernidade? Ou, mais provavelmente, mostra todos os sinais de fragmentação pós-moderna, o mundo que declara que todas as grandes narrativas e todos os sistemas abrangentes são jogos de poder? Sua disciplina é coordenada por pessoas com fortes objetivos políticos, a ponto de outros imaginarem que você não é um artista sério a menos que (digamos) você seja declaradamente marxista? Talvez seu chamado consista em encontrar novas maneiras de contar a história da redenção; criar novos símbolos que falem de um lar para os que não têm lar, do fim do exílio, do jardim replantado, do edifício reconstruído. Conheço um jovem artista que se tornou cristão em Oxford e teve dificuldade de interagir com tutores que o desprezavam em razão de sua fé. A reação do jovem, para surpresa dele próprio, foi começar a pintar ícones abstratos. Eram espetaculares, profundamente belos. Ele só os explicou para seus tutores depois que expressaram surpresa e prazer com essa novidade em seu trabalho; sua fé produziu criatividade inédita que os tutores não puderam deixar de admirar. Quando eles perguntaram o que estava acontecendo, ele lhes contou a história.

Poderíamos dar vários outros exemplos. A fim de dar forma a seu mundo ao seguir a Cristo, não basta dizer que ser cristão e ser profissional liberal ou acadêmico (voltando a atenção para esses dois mundos de forma específica por enquanto) consiste em ter valores morais elevados, em usar todas as oportunidades para falar de Jesus a outros, em orar por seus alunos ou com eles, em ser justo em precificações e avaliações, em ser honesto ao falar. Tudo isso é extremamente importante e necessário, mas você é chamado para ser muito, muito mais. É chamado para, em atitude de oração, discernir em que parte de sua disciplina o projeto humano dá sinais de exílio e, com humildade e ousadia, agir simbolicamente de maneiras que declarem que as potestades foram derrotadas, o reino chegou em Jesus, o Messias judeu, que novas maneiras de sermos humanos foram reveladas; e estar preparado para contar a história que explica o significado desses símbolos. Em tudo isso, você deve declarar, em símbolo e em práxis, em história e em respostas articuladas, que Jesus é Senhor, e César não é; que Jesus é Senhor, e Marx, Freud e Nietzsche não são; que Jesus é Senhor, e que a modernidade e a pós-modernidade não são. Quando Paulo falava do evangelho, não estava se referindo primeiramente a um sistema de salvação, mas à proclamação, em símbolo e palavra, de que Jesus é o verdadeiro Senhor do mundo, a verdadeira luz do mundo.

Tenho plena consciência de que tudo isso pode parecer conselho para perfeição. Jovens acadêmicos querem um doutorado, um emprego, um cargo permanente; querem estabelecer-se na vida profissional, especialmente porque sabem que têm uma vocação para ensinar, escrever, administrar, colocar ordem nessa parte do mundo de Deus. Pessoas de outras áreas têm objetivos legítimos e apropriados e precisam conquistar espaço no meio em que atuam e viver humildemente no âmbito que escolheram a fim de alcançar esses alvos. É perigoso cristãos suporem que precisam ser esquisitos, desengonçados, contrários ao governo a todo o tempo, sempre fazendo as coisas de ponta-cabeça e do avesso. É claro que algumas pessoas parecem ter nascido desse jeito e usam o imperativo do evangelho como desculpa para impor sobre todo mundo sua renitência ou arrogância. É preciso ter sabedoria. Há um tempo para falar e um tempo para permanecer em silêncio. Se, para começar, vale a pena trabalhar dentro de uma disciplina, provavelmente é porque ela tem muita coisa saudável, importante e que merece apoio. Mas, ao orar sobre nosso trabalho, e à medida que, em nossa igreja, nós e nossos irmãos em Cristo semearmos regularmente os principais símbolos do reino, isto é, os sacramentos e a inclusiva vida em família do povo de Deus, é possível que consigamos discernir, gradativamente, novas coisas que podem ser feitas, novas maneiras de realizar nosso trabalho. Não desprezemos os atos simbólicos pequenos mas significativos. É provável que Deus não queira reorganizar da noite para o dia a disciplina inteira ou o universo inteiro de nossa vocação. Aprendamos a ser artífices de símbolos e contadores de histórias para o reino de Deus. Aprendamos a mostrar verdadeira compaixão em nossa adoração, em nossa intendência, em nossos relacionamentos. O trabalho da igreja junto ao mundo consiste em dar exemplo de verdadeira compaixão como sinal e convite para as pessoas ao redor.

Como nas proclamações do reino feitas por Jesus, isso significará perdoar pecados e não perdoar pecados. Implicará declarar que quem persiste em suas formas desumanizadoras e destrutivas de realizar seu trabalho e alcançar seus objetivos traz destruição para si mesmo e para seu mundo. "Como eu gostaria que hoje você compreendesse o caminho para a paz!", disse Jesus. Por vezes, temos de dizer por meio de símbolos e palavras: "Como eu gostaria que você compreendesse o caminho para a paz, intendência, justiça, amor, confiança. Mas, se não o fizer, seu projeto terminará em desastre". Não recomendo que um estudante de pós-graduação diga isso para seu orientador ou para a banca examinadora. Não recomendo como algo a declarar em uma entrevista para emprego. Existe aqui um perigo bastante real: cristãos que queimaram etapas ou não refletiram em profundidade sobre questões importantes podem esconder sua incompetência por trás de uma rejeição fácil de seus superiores acadêmicos ou profissionais ao considerá-los não cristãos desumanizadores. Claro que talvez essa avaliação esteja correta, mas também é possível que seja apenas o cacho de uvas azedas da ambição frustrada.

Todavia, a fim de sermos proclamadores do reino, que dão exemplo de uma nova forma de vivenciar nossa humanidade, também precisamos levar nossa cruz. Esse é um tema estanho e sombrio, mas também é nossa herança como seguidores de Jesus. Para os cristãos, dar forma a nosso mundo nunca é uma questão de sair por aí com arrogância, imaginando que podemos prosseguir com nosso trabalho e reorganizar o mundo de acordo com algum modelo que tenhamos em mente. É uma questão de participar da dor e da perplexidade do mundo e tomá-las sobre nós para que o amor crucificado de Deus em Cristo seja aplicado de forma curativa sobre o mundo no lugar certo. Jesus levou a cruz por nós de maneira singular, e portanto não precisamos comprar o perdão novamente; essa compra já foi feita. Mas, tendo em conta que seguir Jesus implica tomar sua cruz (como ele próprio disse), é esperável que construir sobre o alicerce dele signifique encontrar a cruz estampada repetidamente no tecido de nossa vida e de nosso trabalho (como o Novo Testamento declara inúmeras vezes).

Gostaríamos que não fosse dessa forma e fazemos manobras de vários tipos para evitar o sofrimento. Vemo-nos no Getsêmani e dizemos: "Senhor, o caminho é esse mesmo? Se fui obediente até aqui, por que isso está acontecendo comigo? Por certo, o Senhor não quer que eu me sinta dessa forma". É verdade que, de vez em quando, a resposta talvez seja não. É possível que tenhamos tomado um caminho errado e agora precisemos dar meia-volta e seguir outro rumo. Com frequência, porém, a resposta é simplesmente que temos de permanecer no Getsêmani. O caminho do testemunho cristão não é o caminho do recolhimento quietista, nem o caminho da transigência herodiana, nem o caminho do zelo militante cheio de fúria. É o caminho de estar em Cristo, no Espírito e no lugar em que há dor no mundo para que o amor curativo de Deus possa ser aplicado a esse ponto.

Essa perspectiva é profundamente arraigada na teologia do Novo Testamento, especialmente em Romanos 8. Nesse capítulo, Paulo diz que toda a criação geme, como em dores de parto. Onde deve estar a igreja em um momento como esse? Acomodada em uma posição de observadora, ciente de que tem as respostas? Não, diz Paulo: nós também gememos, pois ansiamos por renovação, por libertação final. E onde está Deus nessa história toda? Sentado no céu, desejoso de que nos comportemos civilizadamente? Não, diz Paulo (v. 26-27): Deus também está gemendo, presente com a igreja onde há dor no mundo. Deus, o Espírito, geme conosco, clamando em oração a Deus, o Pai. A vocação cristã consiste em estar em oração, no Espírito, no lugar em que há dor no mundo; e, quando aceitamos essa vocação, descobrimos que é a forma de seguir a Cristo, moldada de acordo com sua vocação messiânica para a cruz, de braços abertos, segurando simultaneamente a dor do mundo e o amor de Deus.

Devemos prestar atenção no fato de que Paulo é bastante claro a respeito de uma coisa: ao aceitarmos essa vocação, a oração provavelmente será inarticulada. Não precisa ser uma análise refletida do problema e da solução. É provável que seja simplesmente um gemido, que o Espírito de Deus, o Espírito do Cristo crucificado e ressurreto, pronuncia dentro de nós, para que aquilo que foi realizado na cruz seja aplicado de uma nova maneira ao lugar de dor, para que a música da cruz seja entoada suavemente nesse lugar de dor, para que o alicerce da cruz seja a base para um novo lar nesse lugar de exílio.

Se, portanto, você trabalha em um cargo público, com política estrangeira, com finanças, economia ou negócios, sabe que, no momento, o mundo sente dor e medo. O que está acontecendo na Europa oriental ou na Ucrânia? O que deveríamos estar fazendo no Oriente Médio? O sistema financeiro do mundo entrará em colapso total? Estamos rumando para outra grande recessão? E o que podemos fazer sobre o problema de grandes dívidas internacionais? Como argumentei em outro texto, creio que somos chamados a apoiar o projeto do Jubileu, que procura cancelar as dívidas enormes, impossíveis de ser pagas, dos países mais pobres do mundo. A meu ver, teria sido a melhor maneira de celebrar o novo Milênio, e se você não sabe o que é o movimento do Jubileu, incentivo-o a se informar a esse respeito.[2] Contudo, esse projeto não pode ser uma forma de cristãos, com ar de superioridade, imporem uma solução ao mundo. É uma questão de cristãos que trabalham com finanças, economia, bancos, negócios, governo e políticas estrangeiras lidarem com os problemas, muitas vezes em angústia semelhante à do Getsêmani, em que a dor do mundo e o amor curativo de Deus são reunidos em uma oração inarticulada. É muito mais fácil, metaforicamente, fugir para Qumran e dizer que nossa fé é assunto privado, que não desejamos nos envolver com finanças internacionais; ou transigir com o sistema presente e esperar que, de algum modo, as coisas se resolvam; ou adotar uma abordagem defensiva e superficial que não levou em conta a profundidade do problema. Alguns leitores deste livro serão chamados a viver nesse Getsêmani para que o amor curativo de Deus possa dar nova forma a nosso mundo em um momento decisivo.

Ou talvez você seja estudante em um departamento ou subdisciplina de uma universidade que, no momento, está diante de uma grande divisão. Pessoas deixaram de conversar umas com as outras e se recusam a aceitar candidatos no programa de doutorado ou os reprovam quando entregam sua dissertação. Conheço departamentos de economia, de história e de outras disciplinas em que metade dos professores era marxista e metade não era, ou que metade era comprometida com o pós-modernismo e metade não era. Como o cristão deve se posicionar nesses casos? Talvez imaginemos que o evangelho nos associa a um lado da discussão, mas raramente é assim tão simples. Minha sugestão, porém, é que vejamos essas circunstâncias como um chamado para orar quando nossa disciplina acadêmica estiver sofrendo. Leiamos as Escrituras ajoelhados, com nossa disciplina e seus problemas em nosso coração. Participemos da Eucaristia e vejamos no partir do pão o corpo partido de Cristo, entregue para curar o mundo. Aprendamos novas maneiras de orar em meio ao sofrimento e à imperfeição nessa parte essencial do mundo em que Deus nos colocou. E, a partir dessa oração, descubramos maneiras de ser pacificadores, de correr o risco de ouvir ambos os lados, de correr o risco de levar tiros de ambos os lados. Afinal, somos ou não seguidores do Messias crucificado? É claro que o mesmo também se aplica a muitas outras áreas: a famílias e casamentos, a políticas públicas e dilemas privados.

Permita-me escrever de forma autobiográfica por um momento. Recebi uma vocação bastante clara que resultou em algumas escolhas nada claras. Vivo em um mundo que se esforçou ao máximo, desde o Iluminismo, para separar a igreja dos meios acadêmicos. Creio com fervor que essa separação é profundamente desumanizadora em ambas as direções; passei minha vida adulta com um pé de cada lado da divisa, muitas vezes mal compreendido por ambos os lados. Vivo em um mundo em que a devoção cristã e a piedade evangélica têm forte suspeita, e por vezes se opõem implacavelmente, à investigação histórica séria do Novo Testamento, e vice-versa. Creio com fervor que essa situação é profundamente destrutiva para o evangelho e me esforcei ao máximo para pregar e orar como historiador sério e realizar meu trabalho histórico como cristão que ora e prega com seriedade. Como consequência, alguns colegas historiadores me chamam de fundamentalista e alguns irmãos cristãos me chamam de pseudoliberal transigente. A ironia não torna a situação menos dolorosa.

Não digo isso para despertar compaixão, pois, em minha experiência, exatamente quando estava em oração em uma dessas linhas divisórias, em outro Getsêmani privado (e houve momentos ocasionais de agonia), percebi a presença e o consolo do Messias vivo, descobri que aquele com quem estava lutando, e que me deixou coxo, não era outro senão o anjo do Senhor, e recebi, repetidamente, convicção renovada de que meu chamado não consistia necessariamente em resolver as grandes dualidades de nosso mundo pós-iluminista (e agora pós-moderno), mas em viver em oração nos lugares em que o mundo sofre, na certeza de que, por esse meio, em nível muito mais profundo que a resolução articulada do problema, minha disciplina talvez encontre nova proficuidade e minha igreja talvez encontre novos rumos. E desse solo talvez cresça, como peço a Deus, trabalho pacificador e frutífero. Os momentos mais sombrios foram, repetidamente, os mais produtivos em todos os níveis. Nós, ingleses, não gostamos de falar sobre nós mesmos em público, e hesito em me apresentar como modelo, mas talvez alguns que lerem essas palavras se identifiquem com minha experiência, e talvez ela dê ânimo a alguém para quem o Getsêmani até agora não tinha nome e, portanto, era uma realidade mal compreendida. "Assim como o Pai me enviou", disse Jesus, "eu os envio [...]. Recebam o Espírito Santo. Se vocês perdoarem os pecados de alguém, eles estarão perdoados. Se não perdoarem, eles não estarão perdoados." Precisamos refletir demoradamente sobre o significado de "assim como" e estar preparados para viver essa realidade.

E é claro que, se somos fiéis e leais a esse chamado, a coisa mais assustadora e inesperada de todas, pelo menos dentro de muitas tradições protestantes e evangélicas, é que seremos para o mundo não apenas o que Jesus foi para Israel, mas o que YHWH foi e é para Israel e para o mundo. Se você crê na presença e no poder do Espírito Santo em sua vida, é isso que ela significa. Somos chamados a ser verdadeiramente humanos; no entanto, é nada menos que a vida de Deus dentro de nós que nos permite ser verdadeiramente humanos e ser recriados à imagem de Deus. Como C. S. Lewis disse em uma preleção famosa, além do sacramento em si, nosso irmão em Cristo é o objeto mais sagrado colocado diante de nossos olhos, pois, nessa pessoa, o Cristo vivo está verdadeiramente presente.[3]

Não costumamos pensar dessa forma e, como consequência, nos empobrecemos seriamente. Caso alguém proponha essa ideia, apressamo-nos em dizer que somos imperfeitos, fracos e frágeis, que falhamos e pecamos, temos medo e caímos. E é claro que tudo isso é verdade.

Mas leia Paulo novamente; leia João novamente, descubra que somos vasos rachados cheios de glória, curadores feridos. Deus nos perdoe por imaginarmos que nossa verdadeira humanidade, em consonância com o modelo iluminista, significa ser bem-sucedidos, ter completo autocontrole, saber todas as respostas, nunca cometer erros, caminhar a passos largos pelo mundo como se ele nos pertencesse. O Deus vivo revelou sua glória em Jesus, e em nenhum momento o fez mais claramente do que quando morreu na cruz, clamando que havia sido abandonado. Quando experimentamos sofrimento e oração, seguindo a Cristo e dando nova forma a nosso mundo, não descobrimos apenas o que significa ser verdadeiramente humano; também descobrimos o significado daquilo que a Igreja Ortodoxa Oriental chama "divinização" (sim, esse é o termo). Em última análise, se não cremos nisso, não cremos no Espírito Santo. E se imaginamos que parece arrogante, devemos pensar em quão arrogante seria sequer cogitarmos tentar dar forma a nosso mundo *sem* a habitação interior do Espírito de Deus em nós para nos fortalecer, guiar e dirigir. Uma vez que percebemos que a verdadeira divindade não é revelada em engrandecimento próprio, como imaginava o Iluminismo, mas em amor abnegado, entendemos que, quando adoramos o Deus revelado em Jesus e, portanto, refletimos esse Deus cada vez mais, a humildade de Deus e a nobreza da verdadeira humanidade andam juntas.

Em meio a isso tudo e por meio disso tudo, somos chamados a verdadeiro *conhecimento*. Esse tema — como sabemos algo, o que é conhecimento — estava à margem, e por vezes no centro, de várias conversas no congresso do qual este livro se originou. Aqueles que realizam trabalho acadêmico se dedicam ao "saber", e devem permitir que o evangelho desafie e reforme seus conceitos de conhecimento. Todos os cristãos, qualquer que seja sua vocação, são chamados ao conhecimento de Deus, de si mesmos, uns dos outros, do mundo. Como funciona na prática?

Temos de levar em conta todo o peso da crítica pós-moderna das teorias iluministas do conhecimento. É verdade que o tão alardeado objetivismo iluminista ("Vemos as coisas com objetividade; apresentamos os fatos") era, com frequência, uma camuflagem para poder e controle políticos e sociais. Mas, no fim das contas, a objetividade faz parte do trabalho humano essencial, dado a nós em Gênesis e reafirmado em Cristo, de conhecer a Deus, uns aos outros e o mundo de Deus. Paulo fala em Colossenses 3.10 de ser "renovados à medida que aprendem a *conhecer* seu Criador". E esse conhecimento é muito mais que uma porção de conjecturas suscetíveis a desconstrução.

As definições atuais de conhecimento colocam o suposto conhecimento científico objetivo (a epistemologia do tubo de ensaio, por assim dizer) em um lugar privilegiado. Cada passo que damos para longe dessa epistemologia é considerado um passo em direção à obscuridade, à indefinição e ao subjetivismo que chegam ao ápice na estética e na metafísica. Por isso as pessoas me perguntam com frequência quando falo de Jesus da forma que falei neste livro se estou dizendo que Jesus não "sabia" que era Deus. Minha resposta é: se o termo "saber" é usado com o sentido iluminista, então ele não sabia. Ele tinha algo muito mais profundo e rico do que esse saber. Como cristãos, não ousamos nos contentar com uma epistemologia imposta sobre nós pelo movimento filosófico e cultural que, em parte, foi concebido em explícita oposição ao cristianismo. Um aspecto de seguir Jesus, o Messias, é que devemos permitir que nosso conhecimento dele, e mais ainda seu conhecimento de nós, nos norteiem a respeito da natureza do verdadeiro conhecimento. Creio que uma definição bíblica de "conhecimento" deve seguir a linha do grande filósofo Bernard Lonergan e ter o *amor* como modo fundamental de conhecimento, e o amor de Deus como o tipo mais elevado e pleno de conhecimento que existe, e deve trabalhar a partir desse referencial.[4]

O que significa amar? Quando amo, confirmo a alteridade da pessoa amada; deixar de fazê-lo obviamente não seria amor, mas lascívia. Ao mesmo tempo, contudo, quando amo, não sou um observador imparcial, a mosca na parede da epistemologia objetivista. Estou intensa e compassivamente envolvido com a vida e a existência do objeto, da pessoa ou do Deus que amo. Em outras palavras, embora esteja plenamente envolvido no processo de conhecer, isso não significa que não exista nada que esteja sendo conhecido; ou, para expressar de outra forma, embora eu esteja falando de uma realidade exterior a meu estado mental, isso não significa que sou um observador imparcial. Creio que, como cristãos em um mundo pós-moderno, podemos e devemos apresentar uma definição de conhecimento humano que se aplique à música e à matemática, à biologia e à história, à teologia e à química. Temos de articular para o mundo pós-moderno aquilo que podemos chamar epistemologia do amor.

É isso que ocupa o cerne de nossa grande oportunidade, aqui e agora, de séria e alegre missão cristã ao mundo pós-moderno. Vivemos em um tempo de crise cultural. No momento, não sei de ninguém que consiga mostrar como sair do pântano da pós-modernidade; alguns ainda tentam fechar as cortinas e viver em um mundo pré-moderno; muitos se apegam com unhas e dentes ao modernismo; e muitos outros estão chegando à conclusão de que a melhor opção disponível é viver dos restos tirados do monturo da pós-modernidade. Temos, contudo, uma opção melhor.

Não se trata simplesmente de o evangelho de Jesus oferecer uma opção religiosa capaz de superar outras opções religiosas, de preencher mais eficazmente o espaço reservado para "religião" no bufê cultural e social de opções variadas. O evangelho de Jesus nos mostra a vanguarda de toda a cultura e nos impele a ocupá-la, articulando em narrativa e música, arte e filosofia, ensino e poesia, política e teologia e (Deus queira!) até em estudos bíblicos uma cosmovisão que formulará o desafio cristão historicamente arraigado para a modernidade e a pós-modernidade, tomando a dianteira no caminho para o mundo pós-moderno com alegria e bom-humor, com suavidade, bom senso e verdadeira sabedoria. Creio que temos diante de nós a seguinte pergunta: Se não agora, então quando? E, se formos arrebatados por essa visão, talvez ouçamos também a pergunta: Se não nós, então quem? E se o evangelho de Jesus não é a chave para esse trabalho, o que é? "Assim como o Pai me enviou, eu os envio [...]. Recebam o Espírito Santo. Se vocês perdoarem os pecados de alguém, eles estarão perdoados. Se não perdoarem, eles não estarão perdoados."

Encerro com uma parábola e um poema. Minha esposa e eu fomos a Paris para um congresso e, em um momento de folga, visitamos o Louvre pela primeira vez. Uma decepção nos aguardava: a Mona Lisa, que todo bom turista vai até lá para contemplar de olhos arregalados, não apenas continua tão enigmática quanto sempre foi, mas, depois de ser alvo de um ataque violento, agora é protegida por um vidro espesso. Todas as tentativas de observar os olhos famosos, de tentar divisar o que eles querem dizer e de identificar se esse significado verdadeiramente está presente ou se é imposto pelos observadores, são confundidas por vislumbres de outros olhos, nossos e de dezenas de outras pessoas, refletidos no vidro de proteção. Ah, diz a pós-modernidade, a vida toda é dessa forma. O que parece conhecimento na verdade é reflexo de nosso próprio mundo, de nossas predisposições ou de nosso universo interior. Não podemos confiar em nada; temos de suspeitar de tudo.

Mas será que é verdade? Minha convicção, e desafio meus leitores a esquadrinhar essa questão em seus respectivos mundos, é de que existem coisas reais como amor, conhecimento, uma hermenêutica de confiança em lugar de suspeita, aquilo de que mais certamente precisamos no século 21:

> Recém-chegado a Paris, minha primeira vez
> Seguido por aqueles olhos escuros, enfeitiçado por aquele
> Meio sorriso. O significado, como a beleza, provoca, dança
> Nos espaços tênues entre retrato, artista,
> E os olhos do observador. Mas agora, com dupla timidez,
> Ela se esconde por trás de um véu de madeira e vidro,
> E nós que contemplamos e perscrutamos seu mundo
> Vemos câmeras, crianças, outros olhos,
> Outros sorrisos perturbadores. Agora vemos
> O mundo, uns aos outros, Deus, através de uma prisão de vidro:
> Suspeita, medo, desconfiança — projeções de
> Nossas próprias ansiedades. Será que todo o nosso saber
> É apenas reflexo? Que eu confie, e veja,
> E que os olhos do amor me esquadrinhem e me libertem.

Notas

Capítulo 1

[1] Escrevi mais a esse respeito no cap. 2 de Marcus J. Borg e N. T. Wright, *The Meaning of Jesus: Two Visions* (London; San Francisco: SPCK; HarperSanFrancisco, 1999).
[2] Quanto à busca como um todo, veja o relato fascinante e amplo de Charlotte Allen, *The Human Christ: The Search for the Historical Jesus* (Oxford; New York: Lion; Free Press, 1999).
[3] Tenho em mente, entre outros autores, J. D. Crossan, *The Historical Jesus: the Life of a Mediterranean Jewish Peasant* (Edinburgh; San Francisco: T. & T. Clark; HarperSanFrancisco, 1991). [No Brasil, *O Jesus histórico: A vida de um camponês judeu no Mediterrâneo*. Rio de Janeiro: Imago, 1994.]
[4] Para uma análise crítica completa no produto de maior destaque do Jesus Seminar, *The Five Gospels*, org. Robert W. Funk; Roy W. Hoover (New York; Oxford: Macmillan, 1993), veja N. T. Wright, "Five Gospels but No Gospel: Jesus and the Seminar", in: *Authenticating the Activities of Jesus*, org. Bruce Chilton; Craig A. Evans (Leiden: Brill, 1999), p. 83-120.
[5] Veja N. T. Wright, *Jesus and the Victory of God* (London; Minneapolis: SPCK; Augsburg Fortess, 1996), p. 246-58, e o cap. 2 deste livro.
[6] Faço aqui um resumo breve do material apresentado em *Jesus and the Victory of God*, caps. 1—3 e em meu verbete "Historical Jesus (Quest for)", in: *Anchor Bible Dictionary*, org. D. N. Freedman, 6 vols. (New York: Doubleday, 1992), 3: p. 796-802.
[7] Veja Luke Timothy Johnson, *The Real Jesus* (San Francisco: HarperSanFrancisco, 1995; London: Fount, 1997).
[8] Ben Meyer, *The Aims of Jesus* (Philadelphia: Fortress, 1978; London: SCM Press, 1979).
[9] E. P. Sanders, *Jesus and Judaism* (London; Philadelphia: SCM Press; Fortress, 1985).
[10] Veja James M. Robinson, *A New Quest of the Historical Jesus* (London: SCM Press, 1959).
[11] Veja Robert W. Funk, *Honest to Jesus: Jesus for a New Millennium* (San Francisco: HarperSanFrancisco, 1996).
[12] Veja N. T. Wright, *The New Testament and The People of God*, Part II (Minneapolis: Augsburg Fortress, 1992; 2ª ed., London: SPCK, 1996).

Capítulo 2

[1] O exemplo mais claro dessa crença é Daniel 9.2,24, em que se diz que, em vez de o exílio durar setenta anos, como Jeremias havia predito, na verdade duraria "setenta semanas de sete", isto é, 490 anos. A mesma crença na continuidade de uma situação teológica que podia ser adequadamente descrita por meio da metáfora de "exílio em andamento" é observada em, literalmente, dezenas de textos do judaísmo do segundo templo. Veja o

ensaio de Craig A. Evans, "Jesus and the Continuing Exile of Israel", in: *Jesus and the Restoration of Israel: A Critical Assessment of N. T. Wright's Jesus and the Victory of God*, org. Carey C. Newman (Downers Grove, IL: InterVarsity Press, 1999); veja também N. T. Wright, *The New Testament and the People of God*, p. 268-72; *Jesus and the Victory of God*, p. xvii-xviii, 126-9; e *Paul and the Faithfulness of God* (London: SPCK, 2013), p. 114-63.

[2] A respeito desse assunto como um todo, veja especialmente *The New Testament and the People of God*, cap. 10; e, em nível mais popular, o cap. 2 de *The Millennium Myth* (London; Louisville: SPCK; Westminster John Knox, 1999).

[3] Quanto aos fariseus, veja especialmente *The New Testament and the People of God*, p. 181-203.

[4] Veja *Jesus and the Victory of God*, p. 230-9.

[5] Veja *Jesus and the Victory of God*, p. 125-31.

[6] Josefo, *Vida*, 110.

[7] Veja Mateus 10.6,23; 15.24, juntamente com 8.11-12. Ao que parece, essa perspectiva era reconhecida e respeitada na igreja primitiva; veja, p. ex., Romanos 15.8-9.

Capítulo 3

[1] Para detalhes desse argumento e dos outros em seguida, veja *Jesus and the Victory of God*, cap. 9.

[2] Fílon, *Sobre as leis especiais*, 2.253.

[3] *Jesus and the Victory of God*, p. 392.

[4] Mishná *Aboth* 3.2.

[5] Josefo, *Antiguidade* 14.415s; 15.345-8.

[6] Veja *The New Testament and the People of God*, p. 234s.

[7] Veja *Jesus and the Victory of God*, p. 439-42.

[8] Ibid., p. 467-72.

Capítulo 4

[1] Esse argumento corresponde, em forma de esboço, a *Jesus and the Victory of God*, cap. 11.

[2] Esse argumento resume *Jesus and the Victory of God*, cap. 12.

[3] Michael O. Wise, *The First Messiah: Investigating the Savior Before Christ* (San Francisco: HarperSanFrancisco, 1999). O fato de que esse livro exagera um tanto em sua argumentação não deve nos cegar para a mensagem evidente: é perfeitamente possível estudar a motivação de uma figura dentro de determinada cultura, e, ademais, há exemplos dentro do judaísmo do segundo templo de como os líderes construíam essa motivação, essa percepção de vocação, especialmente a partir de narrativas das Escrituras tal como eram entendidas na época.

[4] Veja detalhes em *Jesus and the Victory of God*, p. 513-9.

[5] 11Q13 identifica quem anuncia as boas-novas de Isaías como o próprio Messias; 4Q521, frag. 2, atribui as curas de Isaías 35 ao Messias, tema que ressoa em Mateus 11.2-15. Os textos de Qumran podem ser facilmente encontrados em traduções em inglês, p. ex., Geza Vermes, *The Complete Dead Sea Scrolls in English* (London: Allen Lane, Penguin Press, 1997).

[6] Jacob Neusner, "Money-Changers in the Temple: The Mishnah's Explanation", *New Testament Studies* 35 (1989), p. 287-90.
[7] *Jesus and the Victory of God*, p. 564s.
[8] Marcos 8.31; 9.12,31; 10.32-34,45 e paralelos em Mateus e Lucas.
[9] Para detalhes de cada caso, veja *Jesus and the Victory of God*, p. 579-84.
[10] *Jesus and the Victory of God*, p. 591.
[11] Ibid., p. 596.
[12] Ibid., p. 609-10.

Capítulo 5

[1] O início deste capítulo também forneceu material para o cap. 10 de *The Meaning of Jesus: Two Visions*.
[2] Veja os detalhes em *Jesus and the Victory of God*, p. 615-29.
[3] Veja *The Climax of the Covenant* (Edinburgh: T. & T. Clark 1991; Philadelphia: Fortress 1992), caps. 4—6; *What St Paul Really Said* (Oxford; Grand Rapids: Lion; Eerdmans, 1997), cap. 4; *Paul and the Faithfulness of God*, cap. 9. Há quem considere Colossenses pós-paulino, mas a passagem em questão é entendida, por vezes, como um poema anterior incorporado à carta.
[4] Veja, p. ex., Richard J. Bauckham, "The Worship of Jesus in Apocalyptic Christianity", *New Testament Studies* 27 (1981), p. 322-41.
[5] No início do cap. 4, acima.
[6] A promessa é repetida, p. ex., em Salmos 2.7; 89.26-27. O salmo 2 e 2Samuel 7 são combinados, juntamente com outros textos, em 4Q174, uma antologia de Qumran de textos de comprovação messiânicos.
[7] Veja Jacob Neusner, *A Rabbi Talks with Jesus: An Intermillenial, Interfaith Exchange* (New York: Doubleday, 1993). [No Brasil, *Um rabino conversa com Jesus: Um diálogo entre milênios e confissões*. Rio de Janeiro: Imago, 1994.]
[8] Mishná, *Aboth* 3.2; veja a discussão em 3.8.
[9] O paralelo em Lucas 11.20 traz "poder" em lugar de "Espírito".
[10] Por exemplo, Mateus 25.1-13; veja *Jesus and the Victory of God*, p. 311-6; Ben Witherington III, *Jesus the Sage: The Pilgrimage of Wisdom* (Edinburgh; Minneapolis: T. & T. Clark; Fortress, 1994).
[11] Veja *Jesus and the Victory of God*, p. 612-5, 631-42.
[12] Quanto a esse tema como um todo, veja o cap. 14 de *The Meaning of Jesus: Two Visions*.
[13] Veja mais detalhes em *Jesus and the Victory of God*, p. 632-7.
[14] Ibid., p. 642-5.
[15] Ibid., p. 651.
[16] Ibid., p. 653.
[17] Esse parágrafo é ligeiramente adaptado de *Jesus and the Victory of God*, p. 653.
[18] Daqui até o final do capítulo, tomo emprestado e adapto conteúdo de minha palestra publicada como "A Biblical Portrait of God", in: *The Changing Face of God: Lincoln Lectures in Theology 1996* (Lincoln: Lincoln Studies in Theology, 2), N. T. Wright; Keith Ward; Brian Hebblethwaite, p. 9-29.

Capítulo 6

[1] J. Dominic Crossan, *The Historical Jesus: The Life of a Mediterranean Jewish Peasant* (Edinburgh; San Francisco: T. & T. Clark; HarperSanFrancisco, 1991), p. xxvii. [No Brasil, *O Jesus histórico: A vida de um camponês judeu no Mediterrâneo*. Rio de Janeiro: Imago, 1994.]
[2] Barbara Thiering, *Jesus the Man* (London: Corgi, 1993; New York: Bantam, 1994). Sua incursão posterior no mesmo gênero, *The Book that Jesus Wrote* (1998), propunha que o próprio Jesus era o autor do Evangelho de João.
[3] G. Vermes, *Jesus the Jew: A Historian's Reading of the Gospels* (London: Collins, 1973), p. 37-41.
[4] E. P. Sanders, *Jesus and Judaism* (London; Philadelphia: SCM Press; Fortress, 1985), p. 320, 340.
[5] Apresentei esse argumento de modo mais completo em *Sewanee Theological Review* 41.2 (1998) p. 107-40; e de forma bem mais extensa em *The Resurrection of the Son of God* (London: SPCK, 2003). [No Brasil, *A ressurreição do Filho de Deus*. São Paulo: Paulus, 2020.]
[6] Veja mais detalhes em *The New Testament and the People of God*, p. 320-34; *The Resurrection of the Son of God*, caps. 3—4.
[7] J. Dominic Crossan, *Jesus: A Revolutionary Biography* (San Francisco: HarperSanFrancisco, 1994), cap. 6. [No Brasil, *Jesus, uma biografia revolucionária*. Rio de Janeiro: Imago, 1995.]
[8] Veja *The New Testament and the People of God*, p. 241-3.
[9] Esse é o sentido da citação por Paulo de Salmos 8.6 ("puseste sob a autoridade dele todas as coisas") em 1Coríntios 15.27.

Capítulo 7

[1] Tenho de repetir aqui um pouco do que disse em *The Millennium Myth* (London; Louisville: SPCK; Westminster John Knox, 1999), cap. 3.
[2] Veja minhas obras *What St Paul Really Said* (Oxford; Grand Rapids: Lion; Eerdmans, 1997), cap. 7; *Paul and the Faithfulness of God*, cap. 10.
[3] E. E. Ellis, *The Gospel of Luke* (London and Nashville: Nelson, 1966), ad loc.

Capítulo 8

[1] Veja N. T. Wright, *New Heavens, New Earth: The Biblical Picture of Christian Hope*, Grove Biblical Series n. 11 (Cambridge: Grove Books, 1999); e *Surprised by Hope* (London: SPCK, 2007). [No Brasil, *Surpreendido pela esperança*. Viçosa, MG: Ultimato, 2009.]
[2] Veja N. T. Wright, *The Millennium Myth* (London; Louisville: SPCK; Westminster John Knox, 1999), especialmente cap. 5.
[3] C. S. Lewis, "The Weight of Glory", in: *Screwtape Proposes a Toast and Other Pieces* (London: Fontana, 1965; reimpr. Fount 1977, 1998). [No Brasil, *Peso da glória*. São Paulo: Vida Nova, 1993.]
[4] Sobre Lonergan veja os escritos de Ben F. Meyer, especialmente *The Aims of Jesus* (Philadelphia: Fortress, 1978; London: SCM Press, 1979) e *Critical Realism and the New Testament* (Allison Park, PA: Pickwick, 1989).

Compartilhe suas impressões de leitura,
mencionando o título da obra, pelo e-mail
opiniao-do-leitor@mundocristao.com.br
ou por nossas redes sociais

Esta obra foi composta com tipografia Janson Text
e impressa em papel Pólen Natural 70 g/m² na gráfica Imprensa da Fé